William MARCEAU

Le stoïcisme
et
saint François de Sales

Editions HORVATH

© ISBN. 27171-0223-X
Editions HORVATH - ROANNE - LE COTEAU

INTRODUCTION

Le stoïcisme est, sans contredit, l'une des grandes doctrines qui aient occupé le monde. Zénon, qui l'a fondé est l'un des patriarches de la philosophie, et son système, développé par ses successeurs, partage avec ceux de Pythagore, de Platon et d'Aristote, l'honneur et le privilège d'avoir passionné les esprits. Laissant, à la différence d'Aristote et de Platon, une place secondaire à la métaphysique, il a visé à la pratique et a prétendu comme Pythagore à la direction morale de l'humanité. De nobles esprits, de grands caractères, d'illustres écrivains, des philosophes distingués, des jurisconsultes éminents, des hommes d'état célèbres, des empereurs même se sont fait gloire de marcher sous sa bannière. A une époque de décadence et de décrépitude morale, ils ont demandé à ses doctrines le principe de la régénération pour la société : et si cette régénération eût été possible à un système purement humain, le stoïcisme peut-être l'eût opérée. Mais il fallait autre chose pour ressusciter le cadavre et faire circuler dans sa veine une sève rajeunie. Le stoïcisme a eu du moins la gloire de tenter l'entreprise. Au christianisme seul il était réservé de la mener à fin. C'est déjà pour lui un assez bel honneur d'avoir, dans cette lice difficile, été, même de loin, son émule et son concurrent. Quand il n'y aurait entre eux que cette similitude d'ambition, ce serait assez pour aiguillonner la curiosité du philosophe et provoquer de sa part une étude comparée des deux systèmes. Mais ils ont d'autres ressemblances. Des parties considérables de leur doctrine morale semblent des médailles frappées à la même effigie. Les Pères eux-mêmes l'ont reconnue. Leur « Seneca noster » n'est ignoré de personne. Saint Jérôme dans son commentaire sur Isaïe rappelle cette concordance(1). On sait que saint Charles Borromée lisait Epictète, et que saint Nil l'avait mis, avec de légers changements, entre les mains de ses religieux. Enfin, et surtout, nous savons bien que saint François de Sales a lu Epictète aussi bien que d'autres stoïques pendant ses années à Clermont et même après. Il loue Epictète et Sénèque. « J'admire, dit-il, le pauvre bon homme Epictète » (2). Mais pouvons-nous dire que saint François était stoïque et qu'il enseigna une doctrine qui n'était qu'un stoïcisme christianisé ? Il importerait de montrer que, malgré les ressemblances qu'elles peuvent avoir, les deux théories sont loin d'être identiques, et que c'est une grossière illusion de s'imaginer que la doctrine philosophique du Portique de Zénon remplacerait avec avantage, pour nous servir d'un ingénieux rapprochement, la doctrine philosophique et à la fois religieuse du Portique de Salomon (3). Cette tâche, nous allons l'entreprendre afin de déterminer s'il y a du vrai stoïcisme dans les œuvres de saint François de Sales. Nous nous ferons une idée bien nette de ces deux enseignements pour examiner successivement dans leurs rapports, leurs différences et enfin l'influence respective qu'ils ont exercée sur les œuvres de saint François de Sales.

On sait depuis les travaux de Strowski, de Zanta, et de Busson que la Renaissance humaniste a fait en France une large part au stoïcisme. Son influence, à la fin du XVIe siècle surtout, est incontestable tant sur la pensée théorique et les formes littéraires que sur les attitudes pratiques. Elle persiste vivace pendant un siècle. Malebranche juge opportun de critiquer «La secte la plus honorable des philosophes»... dont bien des gens font encore gloire d'embrasser les sentiments». (4) Ces sentiments, Malebranche les jugeait incompatibles avec l'Evangile. Cette incompatibilité n'apparaissait pas à tous les esprits. Du Vair, par exemple, homme d'Etat, puis homme d'Eglise, puisait, en des temps très troublés, ses certitudes morales et son courage autant que dans la Sainte Ecriture «oracle de vérité», dans le **Livre de la nature** composé par Sénèque et Epictète.

---

(1) **Stoici nostro dogmati in plerisque concordant.**

(2) **Œuvres**, IV, p. 81.

(3) Juste-Lipse, **Introduction à la philosophie stoïcienne**,... Lib. I, c. XVII.

(4) Malebranche, **Recherche de la Vérité**, Lib. V., ch. 2.

Chapitre I

Le néo-stoïcisme à l'époque
de saint François de Sales

François de Sales a-t-il prévenu de plus récents adversaires où s'est-il joint par une espèce d'adhésion au groupe des néo-stoïciens ? On ne saurait hésiter sur la réponse à donner, mais il importe peut-être d'en préciser les qualités pour mieux respecter sa pensée et sa position.

Nous allons étudier trois stoïques parmi les plus importants pour voir si saint François aurait pu croire au stoïcisme et pour montrer un point essentiel — qu'il n'y a pas de stoïcisme. Il n'y a que des stoïques. Après avoir évoqué le stoïcisme ancien, nous découvrirons comment le stoïcisme se renouvela en France au XVIIe siècle à cause du mouvement humaniste. Nous verrons rapidement à travers l'humanisme chrétien le néo-stoïcisme (1). Ce néo-stoïcisme se présente du vivant de François de Sales (1567-1622). Trouverons-nous trace de stoïcisme dans les œuvres de saint François de Sales ?

L'historien du stoïcisme se trouve en présence de deux graves difficultés. La première, c'est la durée même de l'évolution du stoïcisme, et la diversité des phases par où a passé la doctrine.

La seconde, c'est l'état de nos sources.

Numenius, un néo-platonicien qui vivait dans la deuxième moitié du IIe siècle après J.-C., disait des stoïciens, au rapport d'Eusèbe : «Les Stoïciens sont en dissentiment les uns avec les autres ; ces dissentiments ont commencé dès le début de l'école, et ils n'ont pas encore cessé aujourd'hui» (2).

Cette indication est parfaitement juste ; il n'y a jamais eu d'orthodoxe stoïciens. Il n'y a pas un Stoïcisme, mais des Stoïciens : Chrysippe, au rapport de Diogène Laerce, différait sur un très grand nombre de points de ses deux prédécesseurs, Zénon et Cléanthe ; et l'on peut écrire un livre entier sur ces différences. Dans la suite, les dissentiments furent encore plus graves. L'historien doit tenir le plus grand compte de ces transformations intérieures, et surtout de leur valeur. Nous voudrions en indiquer les lignes générales. Les historiens ont l'habitude de distinguer trois grandes périodes, celle de l'ancien Stoïcisme avec Zénon, Cléanthe et Chrysippe (fin du IVe siècle, IIIe siècle avant J.-C.) ; le moyen Stoïcisme, dont les représentants les plus connus sont Posidonius et Panétius, au Ier siècle avant J.-C. ; enfin le nouveau Stoïcisme qui, sous l'Empire romain, compta comme maîtres Sénèque, Epictète et plus tard Marc-Aurèle. Nous exposerons d'abord ce qu'a été le stoïcisme chez ses premiers représentants, et puis chez Epictète qui nous est le plus important à cause des lectures de saint François de Sales.

Comme la plupart des philosophes anciens, Zénon rassemble toutes les sciences philosophiques dans la logique, la physique et la morale. Pourtant, ici nous nous bornerons à la morale à cause de notre sujet et de la brièveté de notre travail. Zénon défend une cosmologie et une théodicée matérialistes et panthéistes. D'après Zénon, en effet, tout ce qui existe est corporel : ce qui est corporel n'est qu'une abstraction, un être de raison : donc point d'esprit sans matière, ni de matière sans esprit. Le monde est composé de deux principes : l'un passif et informe, la matière ; l'autre actif et divin, intelligence toujours agissante, raison éternelle des choses, «semence primitive et universelle». Et c'est ainsi que Zénon arrive à confondre la cause efficiente première et extrinsèque de l'univers, Dieu en un mot, avec les causes formelles et intrinsèques. Son dieu n'est pas même ce qu'il y a meilleur dans l'univers, mais c'est l'univers tout entier.

Un même système philosophique peut avoir différentes nuances, selon l'âme de qui le porte. Ainsi l'ancien stoïcisme, qui paraît plus strictement moral chez Zénon, plus savant et dialectique chez Chrysippe, revêt-il, avec Cléanthe, une couleur proprement religieuse et, pourrait-on dire, mystique. Quelques-uns des poèmes, ou des fragments de poèmes à Cléanthe, nous ont été conservés. L'un au moins, en forme d'hymne à Zeus, est l'une des reliques les plus touchantes de la piété antique.

L'hymne aboutit à une prière. On a invoqué le dieu par son vrai nom, on se l'est rendu favorable par une louange qui magnifiait sa grandeur et rappelait ses bonnes dispositions envers les hommes. Enfin, pour conclure, on lui expose ses besoins. La prière de demande résulte, et de la condition même où se trouvent les deux êtres, que la prière met en rapport, — le dieu est tout-puissant, l'homme a tant de besoins —, et de ces bonnes dispositions divines que le fidèle vient de louer : si nous sommes vraiment les enfants de Zeus, n'est-il pas naturel qu'il prenne soin de nous ? Par son sentiment religieux comme par sa poésie, le chant de Cléanthe annonce celui d'Epictète, rossignol et cygne de Dieu (3).

La prédication passionnée de la morale stoïcienne fait l'originalité et la grandeur d'Epictète. Les thèmes en sont peu nombreux, mais indéfiniment répétés : liberté absolue de l'homme qui, même dans les fers ou sous la torture, reste maître de ses représentations ; affirmation que le bien et le mal dépendent de nous, puisqu'ils consistent dans l'usage correct de ces représentations ; indifférence à l'égard des événements extérieurs ; coïncidence de la volonté de sage avec le destin ; identité de la vertu et du bonheur ; parenté de l'homme avec Dieu. Mais cette prédication n'est jamais abstraite ni monotone : il n'y a de sagesse que vécue et d'autre enseignement que celui de l'exemple ; de là ce recours constant d'Epictète à l'exaltation de quelques «types» individuels : Ulysse, qui symbolise les victoires de l'âme du sage sur les assauts et les tentations du monde extérieur ; Hercule, héros de l'effort, type de l'indépendance conquise non par la science, mais par l'exercice.

C'est à Epictète surtout que penseront ceux qui, dans l'histoire de la philosophie, voudront caractériser la morale stoïcienne : «transfiguration morale de l'esclavage» (4), dira Nietzsche ; mais, à l'inverse, Pascal discernait dans les **Entretiens** des «principes d'une superbe diabolique» (5) : si le mal n'est qu'une opinion, si le bonheur dépend de notre volonté, l'homme peut faire lui-même son propre salut, et sa «misère» se trouve ainsi niée.

Dieu est au centre des préoccupations d'Epictète et sa morale est profondément inspirée par ses croyances religieuses. Les préceptes moraux sont de vrais préceptes divins dont la violation constitue une désobéissance à Dieu (6) : et la rectitude morale suppose une saine conception de la divinité : «... La première chose à apprendre est la suivante : il y a un dieu et il exerce sa providence sur l'univers : l'homme est incapable de lui cacher non seulement ses actions, mais même ses intentions et ses pensées. Ensuite, il faut apprendre ce que sont ces dieux. Car tel on les aura trouvés, tel on devra essayer de devenir, en leur ressemblant autant que possible, l'homme qui voudra leur plaire et leur obéir».

L'idéal cherché, c'est la paix intérieure, la délivrance «du chagrin, de la crainte, du désir, de l'envie, de la malveillance, de l'avarice, de la mollesse, de l'intempérance. Et tout cela, il n'y a pas moyen de le chasser autrement qu'en élevant ses regards vers Dieu seul, en s'attachant à lui seul, pleinement dévoué à ses ordres» (7).

Après avoir vu un peu des doctrines particulières de ces stoïques, examinons ensuite, dans une vue d'ensemble, le stoïcisme à un triple point de vue qui embrasse toutes les grandes questions de la philosophie. Nous attachant spécialement à la partie morale qui est le terrain propre du stoïcisme, nous verrons les points de contact et les différences des deux doctrines, relativement aux principes et aux règles qui les appliquent.

Le bien, suivant le stoïcisme, pour l'homme comme pour les autres êtres, c'est l'accomplissement de la fin ; la fin se déduit de la nature ; la nature de l'homme, c'est la raison. Le corps n'est qu'un accident et ne fait pas partie de la personne. Le devoir pour l'homme, c'est donc de vivre conformément à la raison, et d'avoir constamment une âme libre, égale et forte. Pour être libre, il doit s'affranchir de ses passions et de l'influence des choses extérieures, **abstine**, et comme il est plus sûr de supprimer ses passions que de les régler, il doit s'appliquer à extirper ses passions. Pour conserver l'égalité d'âme, il doit supporter avec constance tous les maux de la vie, **sustine**. Et pour faire l'un et l'autre, la force d'âme lui est nécessaire. De là l'ataraxie ou l'insensibilité, région d'où il contemple toutes les agitations de la terre sans en être troublé :

Si fractus inlabatur orbis
Impavidum ferient ruinae (8).

C'est l'état même de la divinité, à laquelle il participe déjà par la nature de son âme, qui en est une émanation. Il est donc égal à Dieu, à ce point de vue. Que dis-je, il est supérieur à Dieu, car Dieu est dans cet état par le privilège de sa nature, et le sage l'a conquis par la force de sa volonté. Le sage est parfait ainsi, et réalise le cosmos. Il est roi véritablement, car il l'est de ses passions : il est riche, car tout appartient à celui qui, seul, sait faire usage de tout. Il est beau, car les traits de l'esprit sont fort au-dessus du visage. Il est invincible, vous pouvez enchaîner son corps, mais son âme échappe à vos fers. Il ne peut pas déchoir de cet état, et si la souffrance ou la douleur deviennent intolérables, il s'en débarrasse par la mort volontaire. Et ainsi, restant inébranlable dans le calme inaltérable de sa majesté sereine, il passe tranquilement de la vie à la mort, et va s'abîmer dans le néant, ou bien, par une absorption panthéiste, se perdre à jamais dans le sein de Dieu.

Telle en est abrégée la doctrine stoïque.

Au XVIᵉ siècle, la théologie, après le brillant XIIIᵉ siècle, était à son déclin : les divisions à l'infini de questions qui n'étaient rien moins que vitales, le syllogisme sec et froid qui ne peut nourrir un cœur avide de beauté, un latin barbare qui fait avec celui des anciens un contraste trop saisissant, tout cela ne pouvait plaire, ne pouvait même que répugner aux humanistes chrétiens. C'est alors le retour à l'antiquité, non pour l'adopter dans sa teneur mais pour essayer de l'orienter vers la Foi et de la revigorer aux sources de l'Evangile. Or, parmi les doctrines antiques, à côté d'Aristote et de Platon, le stoïcisme tenait une place de choix. Sans doute, s'était-il montré sous son vrai jour, niant l'immortalité de l'âme, soumettant tout au destin et construisant sa morale sur la seule dignité de la vertu à l'exclusion de toute divinité (9). Mais, après la querelle cicéronienne, les regards se tournèrent de nouveau vers Epictète et Sénèque : les éditions se succédèrent à un rythme accéléré : les efforts se multiplièrent pour relancer des philosophes du néo-stoïcisme et les efforts se montrèrent si vigoureux, si efficaces qu'ils se prolongèrent jusqu'aux environs de 1660. Il ne leur reste donc qu'à faire, eux aussi, œuvre d'adaptation. Sans doute, il leur manquera l'enthousiasme des premiers pères de l'Eglise : ils n'ont plus une doctrine à établir, et par conséquent à défendre, point par point, contre la philosophie païenne : ils ont simplement à faire œuvre de réaction morale et religieuse, mais néammoins, ils tournent les yeux vers ces premiers combattants de l'Eglise dont on réédite les œuvres, et ils apprennent d'eux comment on gagne les esprits et les cœurs, au bien et à la vertu, pour les gagner à Dieu.

Comment agissait saint François de Sales, en écrivain chrétien, quand il faisait la confrontation de sa foi et le stoïcisme ? Il agissait d'après l'esprit de son siècle. Tout en étant humaniste-chrétien pendant cette époque du néo-stoïcisme, il faisait l'effort pour diminuer les distances qui séparent christianisme et stoïcisme, tout en sauvegardant l'orthodoxie. Ceci ne veut point dire que saint François était stoïque, mais plutôt qu'il était un vrai «esprit du siècle».

Un peu comme Epictète, saint François de Sales a

essayé de communiquer sa foi à ses disciples. Mais il l'a fait en ouvrant à tous le sanctuaire de la vie intérieure, en les introduisant par la voie de la doctrine catholique. Rien chez lui qui donne prise aux critiques des hommes prévenus, aux attaques des sectateurs du libre examen : il sent que pour «**la condition des espritz de «son» siècle**» il faut que tout soit fondé sur la pierre ferme des dogmes de la foi. Toucher les principaux mystères de sa religion : la sainte Trinité, la rédemption, la justification, la merveilleuse économie de la grâce ; exposer les grandeurs des origines et des destinées humaines, les moyens à prendre pour ne pas dégénérer des unes et atteindre les autres, tel est le but que se propose l'auteur.

Afin de remplir ce vaste plan, il lui fallut remonter jusqu'aux philosophies païennes, non seulement pour en démontrer le vide et l'insuffisance, mais encore pour rechercher les notions du véritable culte, et certains vestiges de vérité épars au milieu des divers systèmes qui se partagèrent l'antiquité. Loin de mépriser cette «science du siècle que Dieu a placée en avant sur la terre pour servir de marche-pied» (10) à la connaissance de son nom, il l'appelle à témoigner en faveur des dogmes catholiques. Une secrète sympathie, une sorte d'affinité rapproche la grande âme de saint François de Sales des patriarches de la philosophie : Aristote, Socrate, Platon, Epictète, «le plus homme de bien de toute l'antiquité». Alors qu'il stigmatise leurs erreurs, il rend souvent hommage à leurs qualités intellectuelles, et même à leurs vertus morales : mais toujours il a soin de faire ressortir l'insuffisance de ces vertus purement naturelles, et par cela même nécessairement imparfaites de quelque côté.

On le pense bien, l'originalité de François de Sales ne consiste pas à proposer une doctrine précisément nouvelle. Qu'on nous cite ces apports prétendus, nous montrerons aisément que l'auteur de l'**Introduction**, même lorqu'il paraît tout nouveau, ne dit rien qu'il n'ait appris des autres — il le reconnaît expressément — ou que d'autres n'aient dit avant lui. Sa nouveauté n'est pas là, mais dans le choix très particulier qu'il a voulu faire parmi les enseignements de ses devanciers : dans les principes qui ont dirigé, soutenu, animé sa diligente synthèse : dans l'accent très personnel de son œuvre. Jean-Pierre Camus l'avait bien compris, lui qui s'est proposé de décrire l'**Esprit du bienheureux François de Sales**, l'esprit, et non les théories, les systèmes, comme il l'aurait fait pour saint Augustin ou saint Thomas. Quant à cet esprit lui-même, il n'est pas non plus tout à fait nouveau. Et comment le serait-il, puisqu'il ne saurait être qu'une des formes de l'esprit chrétien ? Si nous entendons bégayer les lèvres du vieux Richeome, nous voyons que le grand mérite de François de Sales est de donner une voix, limpide, pressante, charmante, de l'avoir imposé au monde par la double autorité de son propre génie et de sa personne.

C'est l'esprit de l'humanisme chrétien, de Sadolet, par exemple, de Reginald Pole, mais appliqué délibérément à la vie pieuse et présenté à toutes les âmes. L'humanisme en soi n'est ni chrétien ni païen : il peut aisément devenir l'un ou l'autre, suivant les dispositions de chaque humaniste. Quant à l'humanisme chrétien, bien qu'il ne repousse aucunement, qu'il implique plutôt, le souci de la vie intérieure et de la perfection personnelle, il fut assez ordinairement plus spéculatif que pratique. Il compte des saints parmi ses adeptes, mais il n'est pas, de lui-même, école de sainteté. Dans tous les cas, il semblait réservé, sinon aux savants proprement dits, du moins à une élite de catholiques bien nés qui avaient du loisir, de la culture et le goût des lettres anciennes (11). Tel quel, il portait en lui et ne pouvait manquer de développer une philosophie, des vues générales sur Dieu, l'homme et le monde. Philosophie, d'abord assez vague, assez incertaine et qui a dû, par un long travail de précision ou de correction, s'accorder enfin pleinement avec la théologie orthodoxe. C'est ainsi que nous avons vu l'humanisme chrétien, dûment allégé de tout élément suspect, siéger triomphalement parmi les Pères de Trente et marquer, de sa noble empreinte, quelques-unes des décisions les plus remarquables. Philosophie, théologie, savantes disciplines auxquelles la foule n'est pas invitée, mais qui visent néanmoins l'éducation morale et la sanctification de tous. Restait donc après cette lente évolution qui avait définitivement annexé le meilleur humanisme à la haute pensée chrétienne, restait une suprême expansion qui ferait pénétrer cette haute pensée chrétienne dans la vie commune des simples fidèles. A ce travail, aussi difficile que le premier, écrivains et prédicateurs, Richeome, par exemple, se sont consacrés d'assez bonne heure, mais, quoi qu'il en soit de ces tentatives, l'Eglise, au début du XVIIe siècle, attendait encore l'homme de génie qui réaliserait parfaitement cette adaptation, cette vulgarisation nécessaire. François de Sales a paru, mettant si l'on peut ainsi parler, toute la renaissance chrétienne, à la portée des plus humbles, dans de petits livres de dévotion.

Une thèse de doctorat l'a prouvé et par le menu : François de Sales, élève appliqué des jésuites, est un humaniste tout court, au sens profane du mot, comme on l'était à la fin de la Renaissance (12). Il a fait d'excellentes humanités : il tient ses classiques au bout de la plume, les poètes latins surtout : il écrit lui-même un joli latin, maniéré, sémillant, précieux, qui l'a conduit insensiblement au français de l'**Introduction à la vie dévote**, puis à celui du **Traité de l'amour de Dieu** qui vaut mieux encore. Mais à lui tout seul, et pour nous du moins, cet humanisme-là, indice parfois trompeur d'un humanisme véritable, ne tirerait pas à conséquence. L'homme ici, le directeur, le saint, nous intéresse plus que le styliste et cet homme est en effet un des plus humains qu'on ait jamais vus. A bien prendre cette noble qualité que l'Apôtre n'a pas craint d'appliquer au Christ, tout ce qu'on peut dire de François de Sales se ramène là. «Je suis tant homme que rien plus» (13) disait-il. «Eh quoi, n'avons-nous pas un cœur humain et un naturel sensible» (14). Il ajoute ailleurs avec une précision nouvelle : «Je ne suis point homme extrême et me laisse volontiers emporter à mitiger» (15). Ainsi fait, donnez-lui des âmes à conduire et il écrira pour elles l'**Introduction**. «Palmelio, dira plus tard J.-P. Camus qui dans son roman de **Parthénice**, a donné ce nom symbolique à François de Sales, Palmelio nous mène au royaume de Dieu avec une gerbe toute florissante et pleine de doux fruits d'honneur et de suavité» (16).

Malgré son goût très vif pour la spéculation platonicienne, il n'était ni philosophe ni théologien de profession. Mais il avait beaucoup lu, beaucoup réfléchi sur les dogmes qui, de près ou de loin, touchent à la vie intérieure et par suite à la direction : sur nos relations avec Dieu. Il suffit pour s'en convaincre, de lire attentivement les premiers livres du **Traité de l'amour de Dieu**, charte magnifique de l'humanisme dévot.

Il dit expressément dans sa préface : «Les quatre premiers livres, et quelques chapitres des autres pourraient sans doute être omis au gré des âmes qui ne cherchent que la seule pratique de la sainte dilection... (mais) j'ai eu en considération la **condition des esprits de ce siècle** et je le devais : il importe beaucoup de regarder en quel âge on écrit» (17).

Quand il s'agit de l'humanisme chrétien, c'est jusqu'aux jésuites qu'il faut remonter, c'est-à-dire jusqu'à S. Ignace. Au début de ses études, dans la cité d'Alcala, le futur fondateur de la compagnie de Jésus ne s'ouvre à l'humanisme que dans la mesure où celui-ci est nécessaire pour l'intelligence des Pères. A Paris, l'érasmisme triomphait, s'appliquant à renouveler la théologie en la confondant avec l'étude de la Bible (18).

Mais comment concilier la culture gréco-latine avec les exigences d'une bonne formation chrétienne ? Le danger n'échappe pas aux disciples de S. Ignace : «Plusieurs, écrit le P. Richeome, exposant ces auteurs, soit de vive voix, en chaire, soit de la plume, en leurs écrits, sont plus profanes que les profanes qu'ils glosent, plus vilains que les auteurs de vilainies qu'ils exposent, plus infidèles que ceux qu'ils savent n'avoir aucune foi» (19).

Devant ce danger, une première tactique consistait d'une part à bannir au moins partiellement les auteurs païens (20), de l'autre à introduire les classiques chrétiens (21). «Il convient, disaient les partisans de cette méthode, de donner la première place aux docteurs de l'Eglise et aux Pères». Ils évoquaient en faveur de leur thèse le fameux songe de S. Jérôme, celui des Pères qui avait le plus cultivé les auteurs païens. Les jésuites répliquaient en interprétant le songe hiéronymien : «Le juge, disaient-ils, ne reproche point à Jérôme d'avoir étudié avec amour Cicéron, mais d'avoir oublié qu'il était chrétien et d'avoir négligé les prophètes»(22). L'introduction des classiques chrétiens ne pouvait suffire : les langues, commes les hommes, ont leur maturité : «Les Pères de l'Eglise, plus encore que Sénèque, Tacite ou Stace ont le tort d'être nés trop tard» (23). Exception est faite pour les Pères grecs qui, en 1599 sont étudiés à l'égal «d'Esope, de Platon, de Thucydide.» De plus, l'élévation des pensées, exprimées par les Pères ou les poètes chrétiens, les rend peu accessibles à l'enfant. «Comment, alors qu'un orateur a tant de peine à se faire entendre des hommes mûrs, lorsqu'il parle des choses de Dieu ou lorsqu'il explique les Pères, prétendrait-on que, en classe, des enfants écoutent l'épluchage des mêmes textes» (24).

Une méthode moyenne s'imposait donc qui comportait pour ainsi dire deux temps : premièrement dégager des auteurs païens les vérités qu'ils admettent, deuxièmement réfuter les erreurs dont ils sont pleins. Les païens peuvent être de bons professeurs de morale. S. Paul a dit que par la voix de la conscience ils entendaient la loi naturelle (25). Chez eux aussi, l'on trouve des exemples d'indéniable vertu : «Tes père et mère honoreras. Non seulement la loi de grâce, mais la loi de nature nous enseigne un tel devoir : Enée, capitaine troyen sauvant Anchise, son père, apprends de ce païen, toi qui te dis chrétien, vers tes progéniteurs comme il te convient faire. On peut donc imiter les païens «et prendre d'iceux les choses bonnes de soi, telles que sont plusieurs bonnes actions naturelles, comme honorer les pères et mères, jeûner, faire aumône, ou au moins des choses indifférentes, comme être vêtus en telle et telle façon» (26).

Les dangers n'étaient pas moins grands contre lesquels il fallait se prémunir. Aucun philosophe païen n'a enseigné la vérité, sans la mêler d'erreur. C'est à peine si l'on trouverait chez eux une mention de l'humilité ; la pauvreté, la virginité furent également l'objet de leurs mépris : on ne doit donc enseigner aux enfants qu'une antiquité bien comprise, débarrassée de tout ce qui est libertinage ou impiété (27). «Un ouvrage bien fait attache ordinairement le lecteur à l'écrivain et il peut arriver de là que l'autorité acquise à un auteur par le bien qu'il a dit, serve à persuader quelque chose de mal qu'il dira ensuite» (28). Aussi bien avec fermeté, mais sans violence, S. Ignace fit supprimer dans les classes l'étude de Vivés et de Térence (29). A Montaigu, la lecture de Térence, de Martial et de Juvénal était prohibée (30). Pie IV et Grégoire XIII approuvaient hautement la méthode (31). Ainsi, sans aller jusqu'à prêter aux fables païennes un sens mystique, il fallait combler les lacunes (32), corriger les erreurs, étudier les passions à la lumière d'Aristote et construire une théodicée (33).

Telle était la méthode des humanistes chrétiens. Elle pouvait fort bien s'appliquer au stoïcisme.

La vérité des stoïques, les humanistes chrétiens la voyaient dans une certaine conformité qu'ils possèdent avec les chrétiens, puisqu'ils ont un facteur commun qui est la raison : par sa haute conception du devoir, par sa maîtrise des passions, par l'invitation qu'il fait d'accepter une vie difficile et de supporter sans murmurer la souffrance, le stoïcisme convenait admirablement aux besoins des âmes alors aux prises avec les pires malheurs provoqués par les crises religieuses et les guerres civiles.

Par contre, une mise au point s'imposait. Il fallait tout d'abord montrer que cette force morale, le stoïcisme, ne la tirerait pas de lui-même, mais de la vertu de l'Evangile. Les thèses morales les plus hautes des stoïciens n'ont été souvent aux yeux de leurs fauteurs païens que des spéculations, des paradoxes dont ils ont eux-mêmes senti le vide ; c'est la sagesse chrétienne qui, en les repensant, les a pénétrés et embellis. Bien plus, c'est de spiritualité ignatienne que tout se trouve imprégné.

Le stoïcien n'a cru qu'à la seule force humaine et s'est laissé tromper par le démon de l'orgueil ; il a donné un sage qui s'enferme dans sa tour d'ivoire et qui veut ne dépendre de personne. Saint Ignace et les siens donnent à l'énergie humaine une tout autre limite et une tout autre orientation ; ils font de l'humilité le fondement et le soutien de toutes les vertus chrétiennes (34). La force stoïque est dépouillée de sa morgue et toute entière orientée vers Dieu.

Donc, deux grands principes dominent l'œuvre de l'humanisme chrétien : 1°) déceler les erreurs ; 2°) utiliser les vérités que le stoïcisme peut contenir.

Cette méthode possède un fondement théologique certain, puisque le péché originel n'a point entièrement corrompu la nature humaine et que les païens étaient capables de certaines vérités comme de certaines vertus. Cet esprit se retrouve chez Marc-Antoine Muret, qui, en publiant une édition critique des œuvres complètes de Sénèque (35), montre qu'il estime qu'on lise ce philosophe stoïcien, et même étudié par des chrétiens, mais que par ses commentaires, plus d'une fois signale les erreurs et les dangers du stoïcisme. Ensuite, un esprit nouveau se fait jour ; à côté de l'humanisme, prend place le stoïcisme chrétien ; c'est un essai de canonisation d'Epictète et de Sénèque ; on cache soigneusement les lacunes de ces deux philosophes, on interprète chrétiennement leurs paradoxes et peu à peu on glisse vers une sécularisation du christianisme, ou même vers le naturalisme pur et simple. Telle est la position, et du professeur Juste-Lipse, et du politique Guillaume du

Vair. Pendant ce temps, Michel de Montaigne commence par donner dans le goût du temps, et par se raidir stoïquement au cours d'une crise, et sous l'influence de Plutarque et de Sextus Empiricus. Il brûle ce qu'il adora et fait du moralisme stoïcien une critique impitoyable : pour finir, établissant sa morale personnelle, il poursuivra sa critique du stoïcisme en même temps qu'il exploitera les richesses psychologiques de Sénèque : il reprendra ainsi la méthode de l'humanisme chrétien, mais sous un jour nouveau. Durant toute cette évolution, l'humanisme chrétien n'a point gardé le silence : le jésuite Delrio commente les tragédies de Sénèque sans perdre de vue qu'elles peuvent être à la fois très utiles et très dangereuses : le jacobin, Jean de Saint-François traduit Epictète, il le vante un peu plus qu'il ne faut, mais dans son éloge de Nicolas Lefebvre rappelle la belle vertu d'humilité que n'a point pratiquée sans doute l'auteur du **Manuel**. Saint François de Sales a pris au contact direct avec Epictète par la traduction de Jean de Saint-François et il montre pour ce sage de l'antiquité un amour de prédilection : il ne doit connaître Sénèque et les autres stoïciens qu'à travers saint Augustin : continuant la méthode préconisée par saint Ignace et ses disciples, il montre l'insuffisance et les dangers du stoïcisme et enseigne à surnaturaliser les vertus que cette secte philosophique a pu comme naturellement pratiquer : il donne lui aussi à sa méthode un fondement théologique, la nature n'étant pas complètement corrompue, et présentant des possibilités, que j'appellerai passives, d'élévation surnaturelle.

Nous verrons donc que saint François de Sales sera

un «esprit de son siècle». Parfois dans ses œuvres, nous trouverons du stoïcisme chrétien, comme il sera pratiqué par nombre de chrétiens même fervents. Mais ses œuvres seront d'un humanisme chrétien qui occupe une position de juste milieu, distinguant dans le stoïcisme le bon et le mauvais, utilisant l'un et bannissant l'autre.

Une étude exhaustive des sources livresques de François de Sales est probablement impossible : il avait beaucoup lu, et de sa correspondance qui pourrait nous donner de précieux indices sur l'étendue de son information, seule une infime partie est venue jusqu'à nous. Il faudrait, pour rendre moins hasardeux cette étude d'ensemble, qu'ait été étudiée l'influence de saint Augustin, de saint Bernard, du pseudo-Denys, et de tant d'autres. Signalons la monumentale étude qu'a faite A. Liuima des sources du **Traité de l'amour de Dieu**. Nous nous y référerons puisqu'aussi bien, c'est la seule étude un peu générale qui ait été écrite sur le sujet.

Nous nous intéressons ici surtout aux sources de son stoïcisme. On ne peut douter que François de Sales ait eu des grands docteurs latins et grecs une connaissance directement puisée aux meilleures sources accessibles de son temps. Les historiens nous disent qu'il s'est rattaché essentiellement aux jésuites du Collège de Clermont qui l'ont gardé de dévier et l'ont enrichi de toute la culture antique en lui donnant le goût des choses de l'esprit. Par les humanistes de la Renaissance, il a reçu les belles formes, le goût des lettres et des arts : mais ses idées sont du moyen âge chrétien profondément pénétré d'Evangile. Le paganisme ne l'atteint pas.

Ses précurseurs n'ont au bout de la plume que muses, fées, nymphes, sylvains, amours, Vénus ou Cypris. Pierre de Ronsard, par exemple, ou Pierre Charron, au gré de qui les sentences païennes l'emportent sur les vérités évangéliques. Ces hommes ont presque perdu la foi, l'espérance, tout le sens chrétien de la vie au contact des idées païennes, de la volupté, de l'épicurisme et tout au mieux du stoïcisme. C'est ainsi que Pierre Charron et Guillaume du Vair sécularisent la morale qu'ils fondent sur la raison. La sagesse de Pierre Charron est donc un sombre fatalisme en face des questions fondamentales. Leur humanisme dégrade l'homme.

Au contraire, à partir des Anciens, François s'enrichit, s'épanouit, monte vers son idéal. «N'y plus, n'y moins», comme porte le blason de ses ancêtres : il assimile, en effet, les vraies valeurs des anciens, mais il délaisse leurs vanités.

Il est redevable de sa connaissance du stoïcisme, pour une part sans doute, à saint Augustin (**La Cité de Dieu**), mais il a lu Sénèque et Epictète, celui-ci surtout «duquel les propos et sentences sont si douces à lire en notre langue, par la traduction que la docte et belle plume du Révérend Père Dom Jean de Saint-François, Provincial de la Congrégation des Feuillants es Gaules, a depuis peu exposée à nos yeux» (36). Ne voyons pas dans ces lignes seulement le compliment accidentel à l'habile traducteur qui rend «douces» les âpres sentences de l'original. C'est Epictète qu'honore l'évêque : «le plus homme de bien» de tout le paganisme qui ait gagné son cœur. Aussi va-t-il jusqu'«à conjecturer, frappé par la noblesse de ses maximes, qu'il a souhaité mourir, qu'il est mort en vrai chrétien.» (37). C'est là un effet particulier de l'attrait exercé déjà sur les premières générations chrétiennes et qui leur suggérait une manière d'annexion généreuse. «Seneca saepe noster», disait Tertullien. La conjecture écartée, l'on ne saurait omettre la louange adressée au philosophe païen, expression d'un respect et d'une admiration sincères, qui, à des degrés divers, rejaillit sur la tradition stoïcienne et la tradition philosophique de l'antiquité. Mieux que tout autre, aux yeux de François de Sales, Epictète exprime la volonté de délivrer l'âme, de l'affranchir de toute avilissante sujétion. Cette volontée exaltée et exaltante ne saurait, de prime abord, contrarier un moraliste qui, dans un registre différent, il est vrai, a déclaré l'importance majeure de notre volonté. Le dédain des biens matériels, la recherche exclusive de la liberté intérieure et de la perfection morale paraissaient d'autant plus louables que les accompagnait «chez Epictète plus que chez n'importe quel autre philosophe» un sentiment spécifiquement religieux de soumission à Dieu (ou aux dieux), une acceptation heureuse, sans réserve, de la loi providentielle (ou du destin). Les principales thèses ou les principaux thèmes stoïciens devaient fixer l'attention, la considération d'un évêque soucieux de garantir la pureté de la doctrine ecclésiastique mais qui n'était pas sourd aux voix venues du dehors. La parenté des idées ou la ressemblance des attitudes permettent-elles de conclure à une pénétration du stoïcisme renaissant dans la pensée salésienne et pour lui imprimer son caractère ? Cette conclusion n'est-elle pas confirmée par la reprise de formules, d'expressions que l'on cueillerait sans surprise dans le **Manuel**, **Les Epîtres à Lucilius**... et qui sont empruntées à l'**Introduction à la vie dévote** ? «C'est le grand bonheur de l'homme de posséder son âme» (38).

«Il faut préférer le fruit aux feuilles, c'est-à-dire le bien intérieur et spirituel à tous les biens extérieurs.»

«Résolvez-vous de lui donner (à Dieu) tout ce qui vous est le plus précieux s'il lui plaisait de le prendre : Père, mère, frère, enfants, vos yeux mêmes et votre vie, car à tout cela vous devez apprêter votre cœur» (39).

L'**Introduction** ne répète-t-elle pas un conseil stoïcien (hérité de Socrate) (40) quand elle engage à voir la cause du péché dans l'ignorance, et ne fait-elle pas entendre le cri proféré déjà par la sagesse antique quand elle proclame que tout le monde ensemble ne vaut pas une âme résolue (41).

On se demande si ce sont de telles analogies qui dictèrent à Brunetière la phrase à la fois catégorique et vague du **Manuel** représentant l'**Introduction** comme un livre stoïcien — à la manière près (42). A pratiquer la méthode des citations tronquées, des idées détachées d'un ensemble obligé, on risque fort de se fourvoyer. Le recours aux textes et aux contextes empêche l'erreur à laquelle induisent un découpage arbitraire des phrases, une attention portée à la lettre aux dépens de l'esprit (43).

La «possession de son âme», l'expression est du psalmiste, sans référence profane chez François de

Sales : elle n'est que le premier temps de l'obéissance à la loi révélée, en sorte qu'elle s'équilibre nécessairement avec cette autre : «Hélas, qu'est-ce que de moi quand je suis à moi-même ?» (44). La première qui semble satisfaire à l'instinct propriétaire de l'individu appelle en sa pensée la seconde qui traduit le besoin d'être exproprié. Oui s'appartenir, pour se donner (45).

Quant à la conduite à tenir dans la souffrance et devant la mort, elle ne se comprend que dans la considération de croyances fondamentales, d'un ensemble d'idées et de sentiments dont la solidarité ne peut être rompue et qui détermine sa vraie nature. Ces idées et ces sentiments, au cours d'une existence sacerdotale riche d'observations, d'expériences et de réflexions, se sont sans doute précisés et pour se communiquer se sont nuancés diversement — mais pour l'essentiel ils n'ont pas changé : ils caractérisent de façon continue la spiritualité salésienne. L'**Introduction à la vie dévote** n'est pas plus stoïcienne que le **Traité de l'amour de Dieu**. Les critiques formulées en ce livre-ci à l'adresse du stoïcisme pourraient s'insérer sans disparate dans ce livre-là.

L'évêque et prince de Genève est donc de la lignée des grands humanistes chrétiens. Mais il n'y a pas seulement continuité, bon voisinage, chez le saint, de l'humanisme dévot et de la mystique. L'humanisme est chez lui une manière d'être dans le monde, avec ses semblables et avec Dieu, une manière d'être qui colore tout ce qu'il est et tout ce qu'il écrit. Chez lui, sentiment de la nature, philosophie et culture, vie morale et religieuse, ses ouvrages livrés au public commes ses lettres intimes, sont marqués d'une façon constante par cet humanisme qui concerne tout l'homme.

A l'occasion de la mort d'une nièce, François se dit «tant homme que rien plus» (46). Faut-il accorder une portée générale à une parole qu'arracha la douleur ? Il est certain qu'il n'a jamais renié l'humain.

L'humanisme de François de Sales ne s'exprime peut-être nulle part mieux que dans cette page écrite à la gloire du corps.

> «La charité» nous oblige d'aymer nos cors convenablement, en tant qu'ilz sont requis aux bonnes œuvres, qu'ilz sont une partie de nostre personne et qu'ilz seront participans de la felicité eternelle. Certes, le Chrestien doit aymer son cors comme une image vivante de celuy du Sauveur incarné, comme issu de mesme tige avec iceluy, et, par consequent, luy appartenant en parentage et consanguinité : sur tout apres que nous avons renouvellé l'alliance par la reception reelle de ce divin Cors du Redempteur au tres adorable Sacrement de l'Eucharistie, et que, par le Baptesme, Confirmation et autres Sacremens, nous nous sommes dediés et consacrés à la souveraine Bonté» (47).

Mais pourtant retrouver chez cet évêque de la lignée des humanistes chrétiens les deux grands principes soulignés tout à l'heure : il y a dans l'antiquité païenne du bon et du mauvais ; on peut en prendre et en laisser.

Il y a du mauvais et l'auteur du **Traité de l'Amour de Dieu** ne se fait pas faute de le signaler. Ce qu'il reproche au stoïcisme, du point de vue dogmatique, c'est non pas d'avoir admis mais prêché la pluralité des

dieux. «Car, quelle compassion, dit-il à propos d'Epictète, de voir cet excellent philosophe... mentionner les
dieux à la païenne» : ce qui lui a manqué, c'est «la
sainte jalousie de l'amour divin, afin de ne point gauchir
ni dissimuler en un sujet d'une telle importance» (48).
Même reproche à Sénèque et plus virulent encore : ce
philosophe avait composé un ouvrage **Contre les superstitions** dans lequel il avait repris l'impiété païenne
avec beaucoup de liberté ; or, «cette liberté», dit le
grand saint Augustin, «se trouva en ses écrits et non pas
en sa vie puisque même il conseilla que l'on rejeta de
son cœur la superstition mais qu'on ne laissa pas de les
pratiquer en ses actions ; car voici ses paroles : lesquelles superstitions, le sage observera comme com-
mandées par les lois, non pas comme agréables aux
dieux» (49).

Du point de vue de la morale, saint François de Sales
reproche d'abord aux stoïciens leur insensibilité. Dans
une lettre à sainte Jeanne de Chantal, il déclare que
«cette imaginaire insensibilité de ceux qui ne veulent
pas souffrir qu'on soit homme, lui a toujours semblé une
vraie chimère» (50). Ailleurs, saint François porte un
jugement beaucoup plus nuancé ; il reconnaît que pour
les stoïciens, le sage, s'il ne doit pas avoir de passions,
peut tout de même avoir des affections. «Ils n'eurent pas
tort, dit-il, de vouloir qu'il y eût des eupathies ou de
bonnes affections» ; il leur reproche cependant de nier
«que le sage pût avoir aucune tristesse, d'autant qu'elle
ne regarde que le mal survenu et que rien n'advient à
l'homme sage, puisque nul n'est jamais offensé que par
soi-même» : ils eurent tort, dit-il, de dire qu'il n'y avait

point de passion en la partie sensitive et que la tristesse ne touchait point le cœur de l'homme sage ; car, laissant à part qu'eux-mêmes en étaient troublés, se pourrait-il bien faire que la sagesse nous privât de la miséricorde qui est une vertueuse tristesse ?» Toujours est-il qu'Epictète échappe à ce reproche, car, selon saint Augustin, il ne suivit point cette erreur «que les passions ne s'élevassent point en l'homme sage» (51). Dans le **Traité de l'Amour de Dieu**, il dit que «pour les vertus qui regardent le prochain, ils (les païens) foulèrent aux pieds et fortement, par leurs lois mêmes la principale qui est la piété» ; entre autres exemples de cette dureté, il cite celui de Sénèque, «ce sage tant loué», qui demandait qu'on tuât les monstres et qui admettait sans réserve l'abandon des enfants manqués, débiles, imparfaits ou monstrueux» (52).

Autre reproche du point de vue moral : la vanité ou pour mieux l'orgueil. C'est que la simplicité est vertu spécifiquement chrétienne (53) : «les païens, voire ceux qui ont le mieux parlé des autres vertus, n'en ont eu aucune connaissance, non plus que de l'humilité ; car de la magnificence, de la libéralité, de la constance, ils en ont fort bien parlé ; de l'humilité point du tout» (54). Dans une lettre à Celse Bénigne de Chantal, saint François conseillait à ce jeune homme de ne point «vouloir être vertueux à la philosophique», car ce ne sont que des «fantômes de vertus» (55).

Mais, tout fantôme qu'ils soient, ces actes de vertu n'ent sont pas moins imitables, non point certes dans l'intention qui les commande, mais dans ce qu'ils sont en eux-mêmes. De fait, saint François de Sales donne, de temps à autre, à ses lecteurs chrétiens l'exemple de vertus exercées par des stoïques. Sénèque et Plutarque recommandent l'examen de conscience, surtout le premier, qui parle si vivement du trouble intérieur que le remords excite en l'âme. Epictète décrit très bien la répréhension que nous devons pratiquer envers nous-mêmes et il fait un souhait de mourir en vrai chrétien, comme il est probable qu'il fit (56). Bien plus, ce même sage, par un renoncement le plus extrême de tous, ne voulut point sa liberté, mais demeura volontairement en son esclavage, avec une telle pauvreté qu'après sa mort, on ne lui trouva rien qu'une lampe (57). Saint François de Sales va même jusqu'à dire : «Si vous voulez rendre sainte la vertu humaine et morale d'Epictète, de Socrate ou de Demades, faites-la seulement pratiquer par une âme vraiment chrétienne, c'est-à-dire qui ait l'amour de Dieu» (58). Voici, de cette transposition, une analyse plus détaillée : «Les stoïciens, particulièrement le bon Epictète, colloquaient toute leur philosophie à s'abstenir et soutenir, à se déporter et supporter : à s'abstenir et se déporter des plaisirs, voluptés et honneurs terrestres : à soutenir et supporter les injures, travaux et incommodités. Mais la doctrine chrétienne qui est la seule vraie philosophie, a trois principes sur lesquels elle établit tout son exercice : l'abnégation de soi-même, qui est bien plus que de s'abstenir des plaisirs : porter sa croix qui est bien plus que de s'abstenir des plaisirs ; porter sa croix qui est bien plus que de la supporter ; suivre Notre-Seigneur, non seulement en ce qui est de renoncer à soi-même et porter sa croix, mais aussi en ce qui est de la pratique de toutes sortes de bonnes œuvres» (59).

Cette transposition, ou mieux cette élévation, possible avec le secours de la grâce, du stoïcisme au christianisme, a l'un de ses fondements dans l'humanisme même de saint François de Sales. L'homme n'est pas entièrement perverti par le péché originel : à côté de la misère, il y a place en lui pour une certaine grandeur qui pourra servir de point de départ pour une ascension vers le monde de la surnature. La volonté possède une inclination à aimer Dieu sur toutes choses (60), inclination naturelle qui de soi ne nous permet pas d'aimer Dieu comme il faut (61), mais qui n'en est pas moins très utile, car Dieu s'en sert comme d'une anse, pour nous pouvoir plus suavement prendre et retirer à soi (62).

La raison est un bon arbre que Dieu a planté en nous : les fruits qui en proviennent ne peuvent être que bons (63). Sans doute l'esprit est malade : il est grandement blessé et comme à moitié mort ; il voit les commandements et ne peut les observer. Mais Dieu fait état des vertus, encore qu'elles soient pratiquées par des personnes qui, par ailleurs, sont mauvaises ; l'Apôtre nous assure que les païens, qui n'ont pas la Foi, font naturellement ce qui appartient à la loi et quand ils le font, qui peut douter qu'ils ne fassent bien et que Dieu n'en fasse compte (64) ? Ainsi, d'une façon très inefficace, très lointaine, mais très réelle, le stoïcisme, ou plutôt les stoïciens pourront, dans une certaine mesure, être utilisés par les chrétiens ; il faudra les vider de leur orgueil et les vivifier par l'amour.

Nous verrons aux chapitres suivants des vertus comme elles se présentent dans les œuvres de saint

François de Sales. Nous remarquerons, tout d'abord, comment l'indifférence existe d'une toute autre forme chez saint François que chez les stoïques. Ensuite, nous étudierons un peu une synthèse de la spiritualité salésienne et des vertus qui nous donneront une idée claire de l'esprit tout à fait chrétien qui était celui de saint François de Sales.

CHAPITRE I

(1) Zanta, L., **La renaissance du stoïcisme au XVIIe siècle**, Paris, Champion, 1914.

(2) **Préparation évangélique**, XIV, 5, 4.

(3) **Entretiens**, 16, 20-21.

(4) **La Volonté de Puissance**, p. 357.

(5) **Entretien avec M. de Saci sur Epictète et Montaigne**, éd. min. Brunschvicg, p. 150.

(6) **Entretiens**, II, 16,28, III, 7, 36.

(7) **Ibid.**, II, 16, 45-46.

(8) Horace, **Odes**, III, 3, 7-8.

(9) **Op. cit.**

(10) Saint Grégoire le Grand, **Expositiones in Lib.** I Reg., liv. V, cap. III.

(11) Bremond, H., **Histoire littéraire du sentiment religieux en France**, Paris, Bloud, 1929, II, p. 17.

(12) Delplanque, A., **Saint François de Sales humaniste et écrivain latin**, Lille, 1907.

(13) **Œuvres**, XIII, p. 330.

(14) **Ibid.**, XIV, p. 264.

(15) **Ibid.**, p. 39.

(16) **Parthénice**, p. 333.

(17) **Œuvres**, IV, p. 9.

(18) De Dainville, F., s.j., **La naissance de l'humanisme moderne**, Paris, Beauchesne, 1940.

(19) **Ibid.**, p. 210.

(20) **Ibid.**, p. 211-214.

(21) **Ibid.**, p. 214.

(22) **Ibid.**, p. 215.

(23) **Ibid.**, p. 216.

(24) **Ibid.**, p. 217.

(25) **Ibid.**, p. 223 ss.

(26) **Ibid.**, p. 226.

(27) **Ibid.**, p. 229.

(28) S. Ignace, Epître IX, 1555, citée dans F. De Dainville, **op. cit.**, p. 229.

(29) **Ibid.**, p. 230.

(30) **Loc. cit.**

(31) **Loc. cit.**

(32) **Ibid.**, p. 233.

(33) **Ibid.**, p. 237.

(34) **Ci-dessous**, ch. I', **p. 47 ss.**

(35) Muret, M.-A., **Opera**, Ruhnken, 1789.

(36) **Ibid.**, IV, p. 81.

(37) **Ibid.**, p. 148.

(38) **Ibid.**, p. 133.

(39) **Ibid.**, p. 254.

(40) **Ibid.**, p. 235.

(41) **Ibid.**, p. 359.

(42) **Manuel de l'Histoire de la Littérature française**, p. 99.

(43) Spannuet, M., **Le Stoïcisme des Pères de l'Eglise**, p. 250, 257.

(44) **Ibid.**, III, p. 325 s.

(45) On admettra **sans** difficulté, tout en réservant une interprétation à laquelle nous faisons allusion plus loin, que le stoïcien **se soumet** (à qui, à quoi) et ne **se donne pas et ne se sacrifie pas par amour.**

(46) **Œuvres**, XIII, p. 30.

(47) **Ibid.**, p. 192 s.

(48) **Ibid.**, IV, p. 82.

(49) **Ibid.**, V, p. 270.

(50) **Ibid.**, XIV, p. 163.

(51) **Ibid.**, IV, p. 36 s.

(52) **Ibid**, V, p. 272.

(53) **Ci-dessous**, ch. II, p. 71 ss.

(54) **Ibid.**, VI, p. 203.

(55) **Ibid.**, XIV, p. 378.

(56) **Ibid.**, IV, p. 148.

(57) **Ibid.**, VI, p. 23.

(58) **Ibid.**, V, p. 241.

(59) **Ibid.**, p. 113.

(60) **Ibid.**, IV, p. 74.

(61) **Ibid.**, p. 80.

(62) **Ibid.**, p. 83.

(63) **Ibid.**, I, p. 330-332.

(64) **Ibid.**, V, p. 237.

Chapitre II

Le véritable abandon selon saint François de Sales

«Il n'y a aucun doute que la souffrance qui peut être parfois un stimulant de la vie spirituelle est pour la plupart et le plus souvent un obstacle. La souffrance n'est utile qu'à condition d'être dépassée, d'être acceptée par une volonté qui garde parfaitement son assiette. Les auteurs spirituels d'Orient ont beaucoup parlé de l'«**apatheia**», cette disposition de l'âme victorieuse de la souffrance et des passions, qui la baigne de calme même dans les moments les plus douloureux. Mais si le mot est d'origine stoïcienne, — il désigne chez le stoïcien le retranchement de tout sentiment violent, de tout plaisir et de tout désir, — il a pris chez le chrétien un sens à la fois plus humain et plus divin» (1).

C'est chez saint François de Sales, docteur de l'indifférence, le chrétien peut le mieux s'informer à ce sujet. Ce grand humaniste et docteur de l'Eglise montre, d'une façon extraordinaire, comment le chrétien peut se sanctifier par moyen d'indifférence. Saint François nous enseigne qu'il faut unir tellement notre volonté à celle de Dieu que la sienne et la nôtre ne soient à proprement parler qu'un même vouloir et non-vouloir.

La volonté de Dieu, c'est ou la volonté signifiée, celle qui nous est connue d'avance, manifestée clairement et explicitement par «les commandements de Dieu et de l'Eglise, les conseils, les inspirations, les règles et constitutions» (2), les vœux et les ordres des supérieurs ; ou la volonté du bon plaisir de Dieu «laquelle nous devons regarder en tous les événements, je veux dire en tout ce qui arrive ; en la maladie, en la mort, en l'affliction, en la consolation, es choses adverses ou prospères, bref en toutes choses qui ne sont point prévues» (3).

Se soumettre à la volonté de Dieu signifiée, ce n'est point abandon mais obéissance. Pourtant ce sont les événements qui dépendent du bon plaisir de Dieu, qui sont le champ propre à l'abandon. Et ce champ est immense. Car, même là où la volonté signifiée intervient, il reste une place à l'abandon :

> …Dieu bien souvent… nous inspire des desseins fort relevés, desquelz pourtant il ne veut pas le succes ; et lhors, comme il nous faut hardiment, courageusement et constamment commencer et suivre l'ouvrage tandis qu'il se peut, aussi faut il acquiescer doucement et tranquillement a l'evenement de l'entreprise, tel qu'il plaist a Dieu nous le donner». Mais il ne peut y avoir opposition entre la volonté de Dieu signifiée et sa volonté de bon plaisir. Elles concordent nécessairement.

S'il y a conflit apparent, c'est la première qui donne

son sens à la seconde : «Car cette obéissance marche toujours devant», nous dit l'évêque de Genève (5). Se résigner, au sens actuel du mot, n'est pas encore s'abandonner. Il faut, pour l'abandon, un don de soi plus généreux que l'acceptation quasi forcée, l'acquiescement presque contraint qui suppose délibération et hésitation.

Certains considèrent l'indifférence comme une vertu négative et comme un acheminement à l'abandon. Ainsi l'indifférence décrite dans la méditation fondamentale des **Exercices** de saint Ignace est certainement une disposition préliminaire à l'abandon : elle suppose la volonté humaine dans l'attente de la volonté divine, l'âme prête à s'élancer là où elle apercevra le bon plaisir de Dieu ; mais l'indifférence n'a plus de raison d'être, une fois que la volonté du bon plaisir de Dieu s'est manifestée. Or, selon saint François, elle est si intimement liée à l'abandon qu'il l'appelle très couramment la «sainte indifférence». Dans le deuxième **Entretien**, il le définit «une parfaite indifférence à recevoir toutes sortes d'événements, selon qu'ils arrivent par l'ordre de la providence de Dieu, aussi bien l'affliction, la consolation, la maladie, la santé, la pauvreté, les richesses, le mépris, l'honneur, l'opprobre, la gloire» (6). Au livre IX de **L'Amour de Dieu** qui traite «de l'amour de soumission par lequel notre volonté s'unit au bon plaisir de Dieu», il ne distingue qu'entre la résignation et l'indifférence : «La resignation prefere la volonte de Dieu a toutes choses, mais elle ne laisse pas l'aymer beaucoup d'autres choses, outre la volonte de Dieu. Or, l'indifference est au dessus de la resignation, car elle n'ayme rien, sinon pour l'amour de la volonte de Dieu, si que aucune chose ne touche le cœur indifferent en la presence de la volonte de Dieu» (7). Saint François de Sales n'oppose point la sainte indifference a l'abandonnement, il identifie seulement l'abandon a l'indifference parfaite.

L'indifférence ou l'abandon telle qu'il l'entend est l'équilibre parfait de l'âme dans l'attente de la manifestation des ordres divins : elle ne peut donc s'exercer que dans les choses où la volonté de Dieu n'est pas sous quelque forme que ce puisse être. L'indifférence devient alors un acquiescement joyeux, un obéissance amoureuse et empressée.

Qu'on ne nous oppose pas ici la comparaison qui se lit au chapitre XV du neuvième livre du **Traité**. Sous cette comparaison l'auteur nous représente la volonté humaine dans une première attitude : l'abandon, la confiance absolue. Mais, survienne l'expression plus explicite de la volonté divine, aussitôt à l'attente succédera le mouvement personnel de l'âme. Tout ainsi que la jeune fille malade eût, sur le désir de son père, non seulement accepté des soins, mais pris tous les moyens requis pour hâter son rétablissement. Comme le saint le dit ailleurs : «Il faut donc se sousmettre tousjours à faire tout ce que l'on veut de nous pour faire la volonté de Dieu, pourveu qu'il ne soit pas contraire à sa volonté qu'il nous a signifiée» (8). Or, vouloir comme Dieu c'est généralement vouloir deux fois, puisque c'est vouloir contre notre instinct, quoique pour notre saint, cet instinct puisse coïncider avec le vouloir divin. Se renoncer c'est être soi, c'est arracher son moi aux fatalités inférieures et instinctives qui le tyrannisent, c'est se libérer du caprice. Etouffer ses aveugles fantaisies, c'est assurer sa personnalité, établir en soi la magistrature de la volonté, d'une volonté ajustée à celle de Dieu. L'évêque de Genève a bien vu cette identité de la sainte indifférence et de la liberté : «O voyla pourquoy, écrivait-il à Mme de Chantal, il nous faut acquérir le plus que nous pourrons l'esprit de la sainte liberté et indifférence» (9). Dans l'état d'indifférence, en effet, on n'est plus dominé par la vie ; on la domine. Et, bien loin que l'acceptation salésienne mène à l'atarxie bouddhique ou au fatalisme werthérien, elle développe au contraire l'initiative en faisant un appel constant à l'élan volontaire. «Et si vous y prenes garde, dit saint François de Sales, l'attente de l'ame est vrayment **volontaire**,... et lhors que les evenemens sont arrivés et receuz, l'attente se convertit en consentement» (10). Ce consentement sui semble si pénétré de «volontaire» qu'il hésite à le nommer acceptation, mot qui lui semble ambigu, «d'autant qu'accepter et recevoir sont de certaines actions qu'on peut en certaine façon appeler actions passives» (11). Simple question de mot, d'ailleurs, quel que soit le nom que nous donnions à l'attitude mentale préconisée par l'évêque de Genève, que nous l'appelions acceptation, indifférence ou abandon, elle implique toujours pour lui un élan de notre part, une coopération active, un effort d'adhésion. Elle est une acceptation, une indifférence, un abandon volontaires. Elle n'a rien de commun avec «l'apathie» chimérique rêvée par le stoïcien. Le salésien ne dit pas : «Je m'abandonne en proie aux lois de l'univers.» A l'antique «**sustine**» il ajoute un élément positif d'amour qui le transforme. Il dit : «Porter sa croix qui est bien plus que de la supporter» (12). Il dit encore : «La résignation se pratique par manière d'effort» (13). Accepter ce n'est donc pas s'abandonner, c'est se prendre en mains, si l'on peut dire, et par un effort de virile adhésion s'adapter à l'ordre fixé par Dieu. C'est par un constant appel à la volonté que saint François de Sales nous conduit à la sainte indifférence.

L'abandon, comme toutes les vertus chrétiennes, a sa source dans l'Evangile, dans les enseignements et les exemples de Notre-Seigneur Jésus-Christ. Saint François de Sales, plusieurs fois, nous a présenté le Christ comme un modèle d'abandon aux diverses étapes de sa vie mortelle (14), pendant sa première enfance (15), dans la fuite en Egypte (16), mais surtout durant les douleurs toute sa vie et sa passion par ces incomparables paroles : «Mon Père, je remets mon esprit entre vos mains» (17). L'imitation de Notre-Seigneur est ici encore le grand levier des âmes : combien se sont abandonnées à la volonté de Dieu dans la souffrance, en répétant les mots que leur sauveur prononçait au jardin des Oliviers : «Que votre volonté soit faite et non pas la mienne» (18). «Non pas, comme je veux, mais comme vous voulez» (19). Il n'y a rien de plus raisonnable que l'abandonnement au bon plaisir de Dieu. Nous y voyons l'accord naturel de la raison avec son principe. Dieu, étant le maître souverain, il accomplira toujours bien sa volonté malgré la nôtre.

Il manquait peu de chose à la résignation des Stoïciens pour devenir un véritable abandon à la providence, Epictète le pratiquait presque, quand Arrien lui faisait dire : «... Je dois ici m'instruire, c'est-à-dire apprendre à vouloir chaque chose comme elle arrive. Et comment arrive-t-elle ? Comme l'a réglé celui qui règle tout» (20). Il semble que les Stoïciens aient essayé d'équilibrer parfaitement l'action de l'homme à l'action de la divinité dans leur vie par la distinction si connue des choses qui dépendent de nous et de celles qui ne dépendent pas de nous, et par la résolution où ils étaient de se soumettre parfaitement à ce que Dieu voulait : «Que jugerez-vous donc ? De ne jamais vous plaindre de ce qu'il vous donnera en partage, de n'être jamais mécontent de faire ou de souffrir ce qui est inévitable» (21). Tout pour Epictète, était occasion, comme il disait, de «se conformer à la volonté de la nature.» Cette conformité était pour lui la baguette de Mercure qui change en or tout ce qu'elle touche. Saint François de Sales parle de ces «anciens philosophes qui ont fait des admirables abandonnemens de toutes choses et d'eux-mesmes, pour une vaine pretention de s'adonner a la philosophie» (22). Ils y eussent ajouté une doctrine plus cohérente sur Dieu et son amour qu'on pourrait parler de leur abandon. Saint François nous avertit lui-même que c'est l'auteur des **Exercices** qui est son maître sur ce point : «Le P. Ignace de Loyole, qu'on va canoniser le Mercredi Saint, mange de la chair sur la simpl'ordonnance du medecin, qui le jugeoit expedient pour un petit mal quil avoit» (23). L'évêque de Genève avait compris saint Ignace.

Il est certain aussi que François s'est inspiré chez

sainte Thérèse d'Avila. Il est donc fort possible que, pour illustrer, il aille chercher des exemples et des comparaisons dans les écrits de la sainte Réformatrice. Imitation peut-être inconsciente, et cela expliquerait que Thérèse ne soit pas citée. On pourrait alors emprunter à François lui-même, et s'en servir pour caractériser sa dette littéraire à l'égard de sainte Thérèse, la jolie comparaison qu'il emploie pour décrire l'amour de conformité : «Chose estrange, mais veritable : s'il y a deux luths unisones, c'est-à-dire de mesme son et accord, l'un pres de l'autre, et que l'on joue de l'un d'iceux, l'autre, quoy qu'on ne le touche point, ne laissera pas de resonner comme celuy duquel on joue ; la convenance de l'un a l'autre, comme par un amour naturel, faisant cette correspondance» (24).

Etudiant le développement historique de la doctrine salésienne de la très sainte indifférence, l'abbé Pierre Veuillot signale que cette doctrine apparaît chez saint François de Sales dès 1602, mais qu'elle s'enrichit sans cesse jusqu'au **Traité de l'Amour de Dieu**. Dans ses premières lettres de direction :

«Les perspectives sont plus restreintes qu'elles ne le seront dans le Traité : la vertu d'indifférence est encore conçue par lui en référence étroite avec le support des souffrances, alors que plus tard il nous la présentera comme une attitude d'âme plus générale et plus positive, attitude d'amour exclusif de Dieu par dessus toute peine et toute joie» (25).

Sans doute cet élargissement du concept d'indifférence, entre 1602 et 1616, pendant la période où saint

Le site de l'ancien château de Sales, où, en 1567, naquit saint François

François de Sales à quarante-six ans (1613) :
le plus ancien portrait peint par son condisciple de Padoue,
Nicolas Clerici (Collection du comte de Loches).

François de Sales à cinquante-quatre ans (1618).
Auteur inconnu. (Visitation de Turin.
L'auréole a été ajoutée après la canonisation).

Statue en bois polychrome de saint François de Sales
(Art populaire baroque savoyard,
XVIIe siècle. Grand Séminaire d'Annecy.)

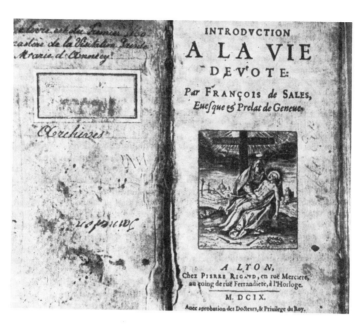

*Page de titre de la première édition
de l' «Introduction à la vie dévote »
(Archives de la Visitation d'Annecy).*

Zénon de Citium (Musée du Capitole, Rome)

Chryssipe par Eubulide (Musée du Louvre)

François de Sales instituant M. Vincent
Supérieur de la Visitation de Paris. (Table de Restout 1732).

Le château actuel de Thorens

François de Sales progresse dans la connaissance de sainte Thérèse, n'est-il pas sans rapports étroits avec ces progrès eux-mêmes ? Car l'indifférence n'est pas un état qui doive durer. C'est «l'équilibre de la balance» : équilibre qui doit nécessairement être rompu si la balance sert à quelque chose. Ce n'est qu'une condition préalable, un état transitoire dans lequel la volonté s'établit provisoirement : elle doit s'abstenir de PRENDRE PARTI, aussi longtemps qu'elle ignore LE PARTI DE DIEU. L'abbé Veuillot souligne avec raison que l'indifférence salésienne est quelque chose de plus : «Les traités de spiritualité considèrent volontiers l'indifférence comme une vertu négative, simple acheminement de l'âme vers une attitude d'amour filial et abandonné» (26).

Tel est l'enseignement de saint Ignace et parfois aussi de saint François de Sales. Pourtant c'est beaucoup plus qu'une disposition préliminaire et négative qui est enseignée au Livre IX du **Traité**. En réalité, saint François de Sales identifie l'abandon et l'amour pur à l'indifférence parfaite et c'est ce qui fait le prix de cette haute vertu dans sa spiritualité... La vertu d'indifférence résume, aux yeux de saint François de Sales, toute la perfection chrétienne ; ... La RESIGNATION de l'**Imitation de Jesus-Christ** est à mi-chemin entre l'abnégation et le don de soi, ou plutôt c'est un amalgame des deux : **De pura et integra resignatione sui ad obtinendam cordis libertatem** (27). L'abandon, tel que le décrit saint François de Sales coïncide aussi avec l'abnégation et la tradition de soi-même à Dieu : «Il faut donques sçavoir qu'abandonner nostre ame et nous laisser nous-mesmes n'est autre chose que quitter et nous deffaire de nostre propre volonté pour la donner à Dieu» (28). Ce détachement va jusqu'aux désirs : «... Il ne faut rien demander ni rien refuser, mais se laisser entre les bras de la Providence divine, sans s'amuser à aucun desir, sinon à vouloir ce que Dieu veut de nous» (29). Pour s'attacher à Dieu, il ne faut être rivé nulle part. Il faut dire cependant que tout le temps que le bon plaisir divin n'apparait point absolu et irrévocable, nous conservons le droit de former des désirs et des prières. Mais le détachement, mais la foi en la Providence, amis de la confiance en Dieu, ne font que commencer l'abandon. Pour qu'il soit complet, pour la livraison à Dieu sans réserve, il faut l'amour. Saint François de Sales écrit exactement dans le même sens : se confier en Dieu emmi la douceur et la paix des prospérités, chacun presque le sçait faire : mais de se remettre a luy entre les orages et tempestes, c'est le propre de ses enfans : je dis, se remettre a luy avec un entier abandonnement» (30). Par son but même qui est de nous unir à Dieu, et c'est par là que l'abandon inutile et vain des anciens philosophes (31), l'amour est indispensable. L'abandon mène à la perfection du saint amour, en même temps qu'il permet à l'âme d'exprimer son amour. On peut dire avec autant de raison qu'il faut aimer pour s'abandonner et s'abandonner pour aimer. L'abandon est l'expression la plus entière du parfait amour.

Dans le chapitre V du IXe Livre, François de Sales démontre «Que la sainte indifference s'estend à toutes choses» (32). Les exemples donnés montrent bien qu'il ne restreint pas le concept d'indifférence comme le fit saint Ignace dans les **Exercices**. Il ne s'agit plus de « garder l'équilibre de la balance » pour connaître, sans risque d'erreur, la volonté de Dieu, mais, celle-ci étant connue, comme elle l'était de Job sur son fumier, ou du Christ en la croix, d'y adhérer absolument par la fine pointe de l'esprit. Le chapitre suivant traite « de la pratique de l'indifférence amoureuse es choses du service de Dieu » (33). François emprunte à la vie des saints plusieurs traits destinés à mettre en lumière le fait que : « Dieu bien souvent, pour nous exercer en cette sainte indifférence, nous inspire des desseins fort relevés, desquelz pourtant il ne veut pas le succes » (34). François développe au chapitre IX le célèbre apologue du musicien sourd, qui continue de chanter malgré son infirmité et, qui plus est, même en l'absence de son prince, sans le plaisir de sa mélodie ni le plaisir de plaire au prince, par pur désir d'obéir aux désirs du maître (35). De cet apologue François se sert pour enseigner le pur amour ou, comme il dit ici et c'est la même chose, « la pureté de l'indifférence. » La surdité, qui laisse au chantre le plaisir de plaire à son prince, est le symbole de la sécheresse spirituelle. Quant à l'absence du prince, qui « lui ayant commandé de chanter, se retiroit ou alloit a la chasse, sans prendre ni le loysir ni le playsir de l'ouïr » (36), elle traduit en langage imaginé cette « grande peyne » que l'âme éprouve lorsque, dans la nuit mystique, elle ressent cruellement l'absence de Dieu.

François de Sales consacre les derniers chapitres du IXᵉ Livre aux « trespas tres aymable de la volonté » (37). Il établit ainsi un parallélisme parfait entre les Livres VI et VII qui, traitant de l'amour de complaisance, s'achevaient par la «mort d'amour» : et les livres VIII et IX, qui, traitant de l'amour de bienveillance, se closent par cette étude si pénétrante du suprême degré de conformité et d'indifférence, qui est le trépas de la volonté. Les épreuves spirituelles peuvent atteindre à un tel degré d'acuité que l'âme ne sent plus les vertus qui sont en elle : «et c'est pourquoy il luy est advis qu'elle n'a ni foy, ni esperance, ni charité» (38). L'amour est réfugié «en la cime et supreme region de l'esprit.» L'âme «n'a plus de force que pour laisser mourir sa volonté entre les mains de la volonté de Dieu», et dire avec le Christ en croix : «Père, je recommande mon esprit en vos mains» (39).

Il explique ainsi cette mort mystique de la volonté : «Certes, nostre volonté ne peut jamais mourir, non plus que nostre esprit, mais elle outrepasse quelquefois les limites de sa vie ordinaire, pour vivre toute en la volonté divine... Que devient la clarté des estoiles quand le soleil paroist sur nostre orizon ? Elle ne perit certes pas, mais elle est ravie et engloutie dans la souveraine lumiere du soleil avec laquelle elle est heureusement meslee et conjointe» (40). Saint François avait employé une image analogue pour décrire l'union, non pas l'oraison d'union dont il parle assez souvent, mais l'union indéfiniment plus intime et stable : «... La volonté qui est morte a soy mesme pour vivre en celle de Dieu... est sans aucun vouloir particulier, demeurant non seulement conforme et sujette, mais toute aneantie en elle mesme et convertie en celle de Dieu» (41).

Et comme son imagination est incontestablement

riche il emploie pour faire comprendre sa pensée, de fort belles images, comme celle du «cœur qui est embarqué dans le bon playsir divin» et doit se laisser «seulement mouvoir selon le mouvement du vaysseau» (42). La plus belle et la plus juste est encore un ultime développement de l'image de l'enfant sur le sein de sa mère : «On diroit d'un petit enfant qui n'a encore point l'usage de sa volonté, pour vouloir ni aymer chose quelconque que le sein et le visage de sa chere mere : car il ne pense nullement a vouloir estre d'un costé ni d'autre, ni a vouloir autre chose quelconque sinon d'estre entre les bras de sa mere, avec laquelle il pense estre une mesme chose, et n'est nullement en soucy d'accommoder sa volonté a celle de sa mere, car il ne sent point la sienne et ne cuyde pas d'en avoir une, laissant le soin a sa mere d'aller, de faire et de vouloir ce qu'elle trouvera bon pour luy» (43).

Il est bien de vouloir ce que Dieu veut. Il est mieux de laisser vouloir à Dieu, se contentant de Le remercier de ce qu'Il aura voulu (44). Mais il est mieux encore d'appliquer «nostre attention en la Bonté et Douceur divine, la benissant non en ses effectz ni es evenemens qu'elle ordonne, mais en elle mesme et en sa propre excellence» (45), ce que François illustre d'un autre apologue, également fameux : la fille du chirurgien qui, malade, s'en remet totalement à son père (46). Laisser vouloir à Dieu, c'est l'attitude recommandée par celui dont on a voulu faire le précurseur des théoriciens modernes de la volonté. «Il est fort malaysé de bien exprimer cette extreme indifference de la volonté humaine qui est ainsi reduite et trespasse en la volonté de

Dieu» (47). Acquiescer, accepter, recevoir, permettre, saint François de Sales rejette l'un après l'autre tous ces termes qui supposent encore une certaine activité de la volonté : «Il me semble donq plustost que l'ame qui est en cette indifference et qui ne veut rien, ainsi laisse vouloir a Dieu ce qu'il luy plaira, doit estre ditte avoir sa volonté en une simple et generale attente : «cette attente» est vrayment volontaire, et toutefois ce n'est pas une action, mais une simple disposition a recevoir ce qui arrivera : «et lhors que les evenemens sont arrivés et receuz, l'attente se convertit en consentement ou acquiescement, mais avant la venue d'iceux, en verité l'ame est une simple attente, indifferente a tout ce qu'il plaira a la volonté divine d'ordonner» (48). C'est ici le sommet de la doctrine salésienne du pur amour ; c'est ici surtout qu'il se montre profondément original dans sa doctrine de totale indifférence. Il a donné en effet à cette pensée des développements considérables. Il l'a exprimée de façon systématique. Il l'a vécue lui-même intimement. Elle est donc à lui, bien à lui.

Dans un dernier chapitre, saint François de Sales présente la même doctrine de pur amour, ou de totale indifférence, ou de parfait abandon — expressions pratiquement synonymes — à l'aide d'une image nouvelle, le dépouillement (49). L'origine de cette métaphore est nettement scripturaire et le chapitre s'ouvre par une représentation du Christ nu sur la croix. Elle a d'ailleurs des racines dans l'Ancien Testament et François évoque aussi l'Epouse des Cantiques, Job et Judith. Cette image lui était familière : en cette année 1616, alors qu'il mettait la dernière main à la rédaction du **Traité**, il aimait présenter à sainte Chantal l'immense sacrifice qu'il lui demandait de leur sainte amitié, sous la figure d'un dépouillement total (50).

Mais la nudité spirituelle n'est pas un but en soi et ce sera l'erreur des quiétistes de l'avoir cru et de préconiser en conséquence une totale passivité. François, au contraire, avait déjà énoncé sa fameuse Béatitude : «Bienheureux sont les nudz de cœur, car Nostre Seigneur les revestira» (51). Il la précise en ce chapitre du **Traité** : «On ne peut longuement demeurer en cette nudité, despouillé de toute sorte d'affections : c'est pourquoy, selon l'advis du saint Apostre, apres que nous avons osté les vestemens du viel Adam, il se faut revestir des habitz du nouvel homme, c'est à dire de Jesus Christ. Car ayant tout renoncé, voire mesme les affections des vertus... il nous faut revestir derechef de plusieurs affections... mais... non plus parce qu'elles nous sont aggreables a Dieu...». C'est-à-dire qu'ils n'en useront pas pour eux-mêmes, mais ramèneneront tout à l'unique fin de l'homme : le service de Dieu par l'accomplissement intégral de sa volonté.

«La désapplication des créatures, c'est-à-dire l'**apathéia**, est bien cette «nudité totale» qui rend l'âme capable d'une «union immédiate» ; c'est «un esprit de mort où Dieu met «et» ne permet pas qu'on puisse désirer rien qu'avec dégagement» (52).

L'indifférence est donc purification et simplification de notre être tendu dans son effort vers le vide de toute affection humaine, vers l'absence de tout concept, ou simplement conscient de ses propres limites et les acceptant, heureux seulement de savoir que Dieu existe : «... pour dire en un mot, je vis sans vie, je suis sans estre, Dieu est et vit et cela me suffit...» écrit Bernières (53).

Toutefois le danger est alors grand. L'on n'insistera jamais assez sur le rôle de saint François de Sales dans la genèse de cette haine qui anime les spirituels du XVIIe siècle français contre le «sensible.» Il n'est plus de mise d'insister sur la douceur de l'évêque de Genève et récemment encore, Louis Lavelle (54) rappelait sa conscience virile, son exaltation de la volonté. Pourtant il semblerait, du moins au premier abord, qu'il y eût opposition entre volonté et amour, puisque l'amour en son fond est soumission à l'attirance divine et que la volonté est généralement conçue comme l'affirmation du moi ; saint François de Sales unira ces deux aspirations en un même acte, s'inscrivant ainsi dans la perspective augustinienne selon laquelle la volonté est en fait désir du Bien, c'est-à-dire amour de Dieu.

Le propre de la volonté n'est-il pas aussi de nous obliger à sortir de nous-même, comme si nous ne trouvions rien en nous qui fût capable de nous suffire ? et inversement, n'est-ce pas nous qui aimons, et ne faut-il pas dire de l'amour que c'est lui qui exprime notre secret et l'intimité même de notre essence ? Car est-il possible de rien vouloir que l'on n'aime ? Et là où l'amour est présent, ne suis-je pas dans le vouloir même, au-delà du vouloir, comme si le vouloir était dépassé et rendu inutile ?...

Et L. Lavelle de conclure :

56

... mais alors il faut qu'il y ait un point en nous-même où le vouloir le plus profond se confond avec l'amour le plus caché.

C'est ce que nous appelons précisément le sentiment d'indifférence. Si la volonté nous permet de faire nôtre cette puissance obscure de l'Amour qui dépasse infiniment nos limites, qu'importe, à proprement parler, le «sentir» ? Le saint recommande donc non l'enthousiasme, non les effusions, mais les actes «simples», la tranquilité intérieure, l'indifférence. L'âme désappropriée «ne viole plus les lois de l'indifférence dans les choses indifférentes» : d'une certaine manière nos passions elles-mêmes sont choses indifférentes, et l'**apathéia** parfaite ne saurait s'indigner des imperfections imputables à la faiblesse de notre nature, elle s'efforcera seulement avec humilité, de les estomper peu à peu. Surtout saint François de Sales voulait qu'on quittât l'«empressement». Le même désir se retrouve chez bien d'autres auteurs français du XVIIe siècle. Toute la doctrine est exaltation de la foi pure et critique des goûts sprirituels et autres signes apparents de ferveur. Mais c'était saint François qui a le mieux fait voir qu'il s'agit de dépouiller la volonté propre et de la ramener à la seule volonté de Dieu. Pour reprendre l'image de Dom Mackey dans son **Introduction de l'Amour de Dieu** pour l'édition d'Annecy, l'âme indifférente est comme la balance en équilibre qui attend pour osciller que l'on charge le plateau — la volonté divine déterminant seule le sens où il penchera. L'indifférence est donc un état où l'âme cherche volontairement à vaincre les contradictions du sentiment au profit du surnaturel : comme l'écrit saint François lui-même : «... l'ame qui est en cette indifference et qui ne veut rien, ains laisse vouloir a Dieu ce qu'il luy plaira, doit estre ditte avoir sa volonté en une simple et generale attente : d'autant qu'attendre ce n'est pas faire ou agir, ains demeurer exposé a quelqu'evenement. Et si vous y prenes garde, l'attente de l'ame est vrayement volontaire, et toutefois ce n'est pas une action, mais une simple disposition a recevoir ce qui arrivera : et lhors que les evenemens sont arrivés et receuz, l'attente se convertit en conssentement ou acquiescement, mais avant la venue d'iceux, en verité l'ame est en une simple attente, indifferente a tout ce qu'il plaira a la volonté divine d'ordonner» (55).

«Benir Dieu et le remercier pour tous les evenemens que sa providence ordonne, c'est a la verité une occupation toute sainte...» (56). Telle la fille de «l'excellent medecin et chirurgien» qui se laisse guérir avec confiance sans détourner ses yeux de son père, notre âme ne doit quitter son créateur des yeux.

Saint François a encouragé ses religieuses à l'abandon. Il écrit le 16 janvier 1603 : «Je vous en supplie, et la Seur Anne Seguier, dites souvent a Dieu, comme le psalmiste : ' Je suis vostre, sauvés moy, ' et comme la Magdeleine estant a ses piedz : ' Rabboni, Ah, mon Maistre ' ; et puys, laissés le faire. Il fera de vous, en vous, sans vous, et neanmoins par vous et pour vous, la sanctification de son nom, auquel soit honneur et gloire» (57). L'abandon ne dispense d'aucun devoir positif. Entre la volonté signifiée et la volonté du bon plaisir, il ne peut pas y avoir d'opposition, avons-nous dit : tout ce que réclame la volonté signifiée doit être exécuté. L'abandon véritable n'exclut pas la prudence mais au contraire la requiert. Il y a une prévoyance pour la santé du corps et de l'âme, qu'on ne peut point laisser sans témérité, parce qu'elle est réclamée par la volonté de Dieu, signifiée. «Encore que nous aymions l'abjection qui s'ensuit du mal, il ne faut pourtant pas laisser de remédier au mal. Je feray ce que je pourray pour ne point avoir le chancre au visage, mais si je l'ay, j'en aymeray l'abjection» (58). Saint François de Sales recommande l'abandon à sainte Jeanne de Chantal comme un «endormissement amoureux» de l'esprit entre les mains de Notre-Seigneur — sans jamais cesser de coopérer soigneusement à sa sainte grâce par l'exercice des vertus et occasions qui se présentent (59). Il affirme qu'une «ame qui est tout abandonnée entre les mains de Dieu... ne fait rien sinon demeurer aupres de Nostre Seigneur, sans avoir souci d'aucune chose, non pas mesme de son corps ni de son ame.» Cependant il entend bien qu'il faut «penser es choses auxquelles nous sommes obligés chacun selon sa charge.» Tout indique dans son développement qu'il veut garder à l'activité humaine sa place : «Ceste ame qui s'est delaissée n'a autre chose à faire qu'à demeurer entre les bras de Nostre Seigneur comme un enfant dans le sein de sa mere, lequel, quand on le met en bas pour cheminer, il chemine jusques à tant que sa mere le reprenne, et quand elle le veut porter il luy laisse faire. Il ne sçait point et ne pense point où il va, mais il se laisse porter où mener où il plaist a sa mere : tout de mesme ceste ame, aymant la volonté du bon plaisir de Dieu en tout ce qu'il luy arrive, se laisse porter et chemine neantmoins, faisant avec grand soin tout ce qui est de la volonté de Dieu signifiée» (60).

C'est qu'en effet l'abandon ne supprime pas les répugnances et qu'il n'est pas toujours exempt de luttes intérieures très vives. Il n'a point pour but de nous empêcher de sentir la souffrance. Il réside dans la partie supérieure de l'âme : des désirs contraires à la volonté de Dieu peuvent exister en même temps dans la partie inférieure de l'âme. L'abandon est une de ces «vertus qui font leur residence en la partie superieure de l'ame, l'inferieure pour l'ordinaire n'y entend rien ; il n'en faut faire aucun estat, mais sans regarder ce qu'elle veut, il faut embrasser ceste volonté divine et nous y unir, malgré qu'elle en ayt» (61).

Il ne faut pas qu'il soit exclusif : l'abandon ne remplace pas les autres vertus : il doit les accompagner, il ne peut en tenir lieu. Seul, il ne suffit pas. L'abandon peut tenir une grande place dans la perfection : il n'est pas toute la perfection. Mais si elle n'est point exclusive, si comme chez saint François de Sales, elle garde à la volonté humaine son champ d'action irremplaçable, elle est parfaitement légitime. Il écrivait à une supérieure de la Visitation : «Ne demandes rien ni ne refuses rien de tout ce qui est en la vie religieuse : c'est la sainte indifference qui vous conservera en la paix de vostre Espoux eternel...» (62). Parce qu'il est une source de paix, l'abandon est une cause de bonheur et de joie. L'acte d'abandon assure à l'âme la parfaite tranquilitté : «Nous vivons en plus grande sécurité si nous donnons tout à Dieu. Nous ne nous confions pas a Dieu en partie seulement, et en partie à nous-mêmes» (63).

De même, il recommande comme une des préparations principales à la réception des sacraments «l'abandonnement total de nous-mesmes à la mercy de Dieu, sousmettans sans reserve quelconque nostre volonté et toutes nos affections à sa domination... Nostre Seigneur se voulant donner tout à nous, veut que reciproquement nous nous donnions entierement à luy» (64). Celui qui a enseigné cette doctrine l'a vécue au fond. Cette attitude d'accueil, d'amoureuse dépendance, d'abandon, était vraiment l'attitude fondamentale de l'âme de saint François de Sales. Cette indifférence n'est pas l'atonie d'un caractère faible et irrésolu, qui ne sait rien rejeter parce qu'il ne sait rien choisir, qui est incapable de rien aimer ; c'est le résultat d'une appréciation aussi noble que juste, par laquelle ne trouvant rien d'aimable que son Dieu, l'âme n'estime toutes choses que dans la mesure des secours qu'elles peuvent lui fournir pour atteindre la fin essentielle : la gloire de son Créateur, et par suite sa propre béatitude. Mais que la volonté divine vienne toucher cette volonté humaine constituée dans l'état de surnaturelle indifférence, aussitôt cesse sa neutralité, et elle se précipite de toute son énergie dans la direction que lui indique le mouvement d'en haut. Cette admirable et sanctifiante disposition est compatible avec les attendrissements de la sensibilité, avec les contradictions de la partie inférieure, et c'est même dans ces contradictions qu'elle atteint son dernier perfectionnement.

Et de cet abandon, le saint donnait un merveilleux exemple.

L'amour lui faisait prendre conscience qu'il était tout entre les mains de Dieu.

En terminant notre étude sur l'abandon, nous nous rendons compte qu'il y a d'autres vertus qui montrent que saint François de Sales n'était pas stoïque. Avant d'entreprendre une brève synthèse d'une spiritualité salésienne, caractérisons son état d'âme et son esprit. Il a reçu une éducation humaniste, il s'est nourri de l'antiquité. Il s'est en effet, immergé dans les anciens, mais il ne s'est pas laissé submerger comme tant de ses contemporains. Il citait souvent Aristote, Platon, Epictète, Sénèque, Ovide, Martial et bien d'autres, mais il gardait son indépendance. Ces auteurs sont pour lui des répétiteurs plutôt que des maîtres. Encore écolier il ne se contente pas d'exposer leur doctrine sur la béatitude, la fin et les devoirs de l'homme, il les corrige, il les complète **par la doctrine chrétienne** (65). C'est caractéristique de son esprit : il connaît tout, mais ne s'arrête pas en ce qu'il connaît, il prend son bien où il le trouve, il l'assimile et il l'améliore.

CHAPITRE II

(1) **Initiation théologique**, Paris, Cerf, 1952, 11, p. 152.

(2) **Œuvres**, VI, p. 265.

(3) **Ibid.**, p. 266.

(4) **Ibid.**, V, p. 126.

(5) **Ibid.**, VI, p. 268.

(6) **Ibid.**, VI, p. 23.

(7) **Ibid.**, V, p. 119.

(8) **Ibid.**, VI, p. 270.

(9) **Ibid.**, XIII, p. 138.

(10) **Ibid.**, V, p. 159.

(11) **Ibid.**, p. 158.

(12) **Ibid.**, p. 114.

(13) **Ibid.**, p. 118.

(14) **Ibid.**, VI, p. 383-9.

(15) **Ibid.**, V, p. 152-5.

(16) **Ibid.**, VI, p. 31-53.

(17) **Ibid.**, p. 155-60.

(18) Luc, XXII, 42.

(19) Mt, XXVI, 39.

(20) **Entretiens**, I, 1.

(21) **Ibid.**, III, 24.

(22) **Œuvres**, VI, p. 23.

(23) **Ibid.**, XII, p. 366.

(24) **Ibid.**, V, p. 61.

(25) Serouet, P., **De la vie dévote à la vie mystique**, p. 329.

(26) **Ibid.**

(27) **Op. cit.**, III, p. 37.

(28) **Œuvres**, VI, p. 22.

(29) **Ibid.**, VI, p. 384.

(30) **Ibid.**, XVI, p. 133.

(31) **Ibid.**, VI, p. 23.

(32) **Ibid.**, V, p. 122.

(33) **Ibid.**, p. 125.

(34) **Ibid.**, p. 126.

(35) **Ibid.**, p. 137-139.

(36) **Ibid.**, p. 143.

(37) **Ibid.**, p. 146-160.

(38) **Ibid.**, p. 147.

(39) **Ibid.**, p. 148.

(40) **Ibid.**, p. 149.

(41) **Ibid.**, p. 151.

(42) **Ibid.**, p. 150 s.

(43) **Ibid.**, p. 151.

(44) **Ibid.**, p. 152 s.

(45) **Ibid.**, p. 156.

(46) **Ibid.**

(47) **Ibid.**, p. 158.

(48) **Ibid.**p. 159.

(49) **Ibid.**, p. 160-163.

(50) **Ibid.**, XVII, p. 214-220.

(51) **Ibid.**, p. 79.

(52) Goré, J.-L., **La Notion d'indifférence chez Fénelon et ses sources**, p. 71.

(53) Bernières, **Œuvres**, II.

(54) Lavelle, L., **Quatre saints**, p. 190-191.

(55) **Œuvres**, V, p. 158-9.

(56) **Ibid.**, p. 155.

(57) **Ibid.**, XII, p. 170.

(58) **Ibid.**, XIII, p. 205.

(59) **Fragments du petit livre de Ste J. de Chantal**, II, p. 15.

(60) **Œuvres**, VI, p. 27 s.

(61) **Ibid.**, p. 30.

(62) **Ibid.**, XX, p. 298.

(63) Saint Augustin, **De dono perseverantiae**, VI.

(64) **Œuvres**, VI, p. 339-40.

(65) **Ibid.**, p. XLI-XLII.

Chapitre III

La fin de l'homme et les moyens salésiens

Cette étude nous montrera saint François, comme s'exprime H. Bremond «à l'école de la grâce des âmes» (1). Tout le temps il va pas à pas en expérimentant chaque état d'ascension spirituelle jusqu'à l'union avec Dieu, où il sait réunir l'effort ascétique et l'action de la grâce divine. La raison de son succès est qu'il ne parle point de ce qu'il n'aurait lui-même expérimenté. Pas une seule théorie, pas un seul mot abstrait ; tout vient de son cœur, de sa propre expérience, partout il descend jusqu'aux racines (2).

Issu de l'humanisme, humaniste lui-même, il dépasse l'humanisme, il bâtit sur lui un édifice spirituel. C'est qu'il connaît de meilleurs dons : la foi, la grâce surnaturelle. L'idéal du chrétien, à son gré, n'est pas inscrit sur les feuilles, mais en son cœur. Il n'en sera jamais arraché. Oublier l'élément surnaturel en sa formation, serait fausser tout son esprit : «Quoiqu'on puisse le (saint François de Sales) lire au travers des livres profanes, faut-il toujours le regarder sous la lumière des mystiques chrétiens, dont il est» (3).

A l'école de Saint François de Sales, la fin de la vie chrétienne est Dieu. Nous venons de Dieu : nous appartenons à Dieu : nous sommes pour Dieu, en vue de notre salut éternel : «... il a réellement créé les Anges et les hommes, et pour effectuer sa providence il a fourni et fournit par son gouvernement tout ce qui est necessaire aux creatures raysonnables pour parvenir a la gloire : si que, pour le dire en un mot, la providence souveraine n'est autre chose que l'acte par lequel Dieu veut fournir aux hommes et aux Anges les moyens necessaires ou utiles pour parvenir à leur fin» (4).

Mais il y a une observation importante que nous voudrions faire : c'est que les trois grandes preuves métaphysiques de l'existence de Dieu, par l'idée de l'être parfait et de l'être nécessaire ne pouvaient être solidement établies que dans le christianisme. La raison en est simple : ces preuves ne sont rigoureuses que dans un système qui admet la création. En dehors de la création, les idées d'infini, de parfait et de nécessaire sont altérées : avec une matière coëxistante, l'infini n'est plus l'infini, puisqu'il est limité par elle : le parfait n'est plus le parfait, car on le concevrait plus parfait s'il avait le pouvoir de créer la matière et non pas seulement de la coordonner. Enfin le nécessaire est nécessairement un, et que, dans l'hypothèse, il y aurait deux nécessaires. Il en est de même si, au lieu d'une matière préexistante on admet l'émanation. Si Dieu a besoin de se développer, il n'y a plus d'infini, car l'infini est ce à quoi on ne peut rien ajouter, et il est actuel : il n'y a plus de parfait, puisqu'on suppose qu'il manque à sa vie quelque chose que lui donnera son développement dans le monde : enfin il n'y a plus de nécessaire, et, par hypothèse, il n'a plus de contingent. — Cela explique pourquoi le stoïcisme, et généralement tous les systèmes qui partent du panthéisme, d'une manière plus ou moins avouée, ont été si pauvres dans leurs spéculations métaphysiques sur cette grande question. Il leur manquait un point de départ, l'idée de la création.

Passons à la nature de Dieu. Le stoïcisme ne s'est pas élevé à la véritable notion de la spiritualité. Il a gardé le nom sans retenir la chose. L'esprit, pour lui, n'est pas la substance incorporelle ; mais ce qu'il y a de plus subtil, de plus délié, de plus quintessencié dans la matière : l'esprit, c'est l'éther invisible, l'éther répandu dans le monde, qu'il pénètre de son essence, dont il est l'âme et qu'il rend par conséquent vivant et divin.

Cette fausse notion de la spiritualité tient à un courant d'idées dans lequel se trouvait placée la philosophie de l'époque : influence à laquelle le stoïcisme ne sut pas échapper quoiqu'il fût une protestation contre ces doctrines.

A la spiritualité, le Christianisme et donc saint François de Sales joint l'aséité. Dieu est l'être nécessaire et absolu. «**Ego sum qui sum. Qui est misit me ad te**» (5). La spéculation chrétienne part de là pour déduire toute la suite des attributs divins. Si Dieu est l'être nécessaire, il est un, infini, tout-puissant, éternel, immuable, etc. De plus, il possède tous les attributs méta-

physiques, la bonté, la sagesse, la justice, la sainteté. —
Le stoïcisme donne à Dieu la plupart de ces attributs.
Zénon admettait l'unité : (6) et Cléanthe, dans des vers
que nous a conservés Clément d'Alexandrie, énumère
l'éternité, la toute-puissance, l'immutabilité, la bonté,
la justice, la sainteté. La bonté surtout était de sa part
l'objet d'une attention particulière. — Il serait aisé de
signaler ici une inconséquence, et de faire toucher au
doigt l'incompatibilité radicale qu'il y a entre une substance matérielle et de pareils attributs.

Quant à la Providence, c'est l'honneur du stoïcisme
de l'avoir proclamée bien haut. Chrysippe et Sénèque
avaient fait un livre sur la Providence. C'était assuré-
ment une pensée salutaire et sociale que d'insister sur ce
dogme à une époque où le scepticisme envahissait les
âmes, et où les classes lettrées de la société ne croyaient
plus guère à une intervention d'en haut dans les choses
humaines. Malheureusement, dans la théorie stoïcienne, la Providence ne conserve pas son véritable
caractère. Les stoïciens primitifs et Sénèque lui-même
ne voient guère en elle que la constance des lois de la
nature (7). Le stoïcisme, comme on l'a vu, fait redes-
cendre la cause suprême de la métaphysique à la physique, et elle y devient le destin, le destin assujetissant
tout, et assujeti lui-même à la nécessité. Néanmoins le
destin des stoïciens n'est pas une force brute et aveugle.
S'il est la cause de tout, c'est qu'il est la raison séminale
qui contient toutes les raisons particulières. Il est l'idée
où tout est à l'avance prévu et prédéterminé, il est
l'universelle Providence (8). Dieu est la nature ne fai-

sant qu'un, c'est de Dieu lui-même que ressort l'économie du monde (9).

Mais cela ne veut pas dire que Dieu gouverne le monde ainsi qu'une sagesse humaine pourrait le faire, par des idées abstraites, et comme un objet qui lui serait extérieur : non, c'est par un art concret, intérieur à ses œuvres et qui n'est que la tendance dont elles sont la forme et l'expression immédiates. C'est cet art qui est pour les stoïciens l'art divin. Les raisons séminales pour lesquelles Dieu prédétermine et fait tout sont donc autant d'états par lesquels il passe, autant de formes qu'il revêt. C'est Dieu même qui pénètre et circule partout, comme le miel court dans les rayons. C'est Dieu qui, sans forme par lui-même, se transforme en toutes choses, et se fait tout en tout (10).

Nous avons vu qu'il y a dans l'idée chrétienne de création cette première relation de cause à effet (11). Il existe donc entre le ciel et les vertus chrétiennes un rapport d'affinité étroite car la vertu est l'unique «paradis d'ici-bas» selon le mot de notre saint Docteur (12). Entre l'idée de vertu et celle de récompense il y a une relation étroite, aussi bien qu'entre l'idée de vice et celle de punition.

Le stoïcisme (13) et le Christianisme ont admis tous deux cette doctrine. Mais il y a un point sur lequel ils sont séparés par une différence profonde : c'est celui de savoir si le mérite et le démérite sont susceptibles de plus ou de moins, et s'ils varient suivant les actions de l'agent. Le stoïcisme, partant de ce principe que la conformité ou le désaccord avec la raison est la mesure unique du bien et du mal, et qu'il n'y a pas de degrés dans cette conformité et ce désaccord parce qu'ils sont ou ne sont pas, on conclut que toutes les vertus sont égales aussi bien que tous les vices, et par conséquent aussi toutes les actions bonnes et toutes les actions mauvaises, qui sont une participation du vice et de la vertu.

> «La raison est égale à la raison, comme une droite à une droite : la vertu est donc égale à la vertu, puisqu'elle n'est autre chose qu'une droite raison. Toutes les vertus sont des raisons droites : telle qu'est la raison, telles sont les actions. Elles sont donc toutes égales : si elles sont droites, elles sont égales : car étant semblables à la raison, elles sont aussi semblables entre elles... Toutes les vertus sont égales, tous les actes des vertus et tous les hommes qui les produisent» (14).

Le christianisme et le sens commun repoussent cette doctrine. Nous disons tous les jours : cet homme est plus vertueux que cet autre, cette action est moins belle que celle-là. L'humanité toute entière parle ce langage, et ce langage est celui du sens commun. Faire l'aumône à un pauvre quand on est millionnaire, ou le secourir de l'obole prise sur le pain du jour, sont deux actions bonnes ; qui soutiendra sans ridicule que le mérite est le même dans les deux cas ? Dire la vérité quand il n'en coûte rien et mourir pour la vérité, sont deux actes bons ; qui jamais a prétendu, en dehors des systèmes, que les deux actes soient égaux ? Si la théorie stoïcienne venait à prévaloir, le niveau de la moralité baisserait bientôt.

A quoi bon chercher la perfection du bien, quand le bien suffit ? — ou plutôt, le bien, par là même qu'il est bien, est toute la perfection, puisqu'il n'a pas de degrés : l'émulation disparaît, et l'idée du progrès, si vive pourtant et si fortement gravée dans la conscience humaine n'est plus qu'un mot vide de sens. Mais le stoïcisme se charge lui-même de renverser sa théorie. Après être parti du principe que la vertu étant la perfection, ne peut ni croître ni décroître, qu'elle ne peut être plus ou moins tendue ou relâchée, car elle est comme une règle, comme une ligne droite, au plus haut degré de tension qui soit possible : que la vertu est la sagesse même ou elle n'est rien, qu'il n'y a point de milieu entre la sagesse et la folie, de même qu'entre la droite et la courbe ; il est obligatoire d'arriver à cette conclusion, que toutes les actions bonnes et droites sont égales, car ce ne sont que des applications différentes d'un seul et même principe, qui ne connaît pas de degrés : que toutes les mauvaises actions sont égales pareillement ; et par conséquent, que tous les hommes vertueux sont sages, et tous les sages parfaitement sages ; que tous ceux qui ne le sont pas, sont complètement insensés, vicieux et misérables : et qu'enfin, quiconque a une vertu a toutes les vertus, quiconque a un vice a tous les autres vices, et l'un et l'autre au plus haut degré. Or, après ces conclusions exorbitantes, qui n'est étonné d'entendre le stoïcisme enseigner que les convenables, accomplis dans la vue de l'ordre et de la beauté par le sage, forment les actions droites ; et par l'exercice constant de tous ces actes, sans en omettre aucun, constituent une vertu et une sagesse vulgaires, ressemblance imparfaite sans doute de la vertu et de la sagesse absolue, mais qui sert pourtant à y conduire. Ces assertions, comme on voit, se réfutent suffisamment par elles-mêmes, et nous dispensent d'insister.

Telle est la nécessité, tel est aussi le charme des vertus chrétiennes dont saint François nous trace le tableau magnifique. Nous voudrions dégager les grandes lignes de la spriritualité salésienne, afin d'aider à replacer dans leur contexte vital les divers éléments de la pensée du saint. Nous verrons par cette synthèse spirituelle que la vertu salésienne n'avait rien à faire avec la «vertu stoïque».

Voici des éléments de la spiritualité salésienne : 1) Primat de l'amour ; 2) Imitation de Jésus-Christ ; 3) Docilité à l'Esprit Saint ; 4) Sens de l'Église ; 5) Ascèse orientée vers l'épanouissement des grâces mystiques ; 6) Oraison ; 7) Mystique et symbole de l'enfance spirituelle, par lesquels saint François se plaît à présenter l'épanouissement dans l'amour.

Nous avons déjà souvent vu au chapitre II que l'amour prime tout dans la pensée de saint François. D'où lui est venue cette idée ? Son éducation familiale, les fortes influences franciscaines qui se sont exercées sur ses jeunes années, l'enseignement reçu de ses maîtres et directeurs jésuites, l'influence du **Combat Spirituel**, puis de l'œuvre de sainte Thérèse, la controverse en Chablais avec les ministres calvinistes, la pente naturelle de son cœur enfin, tout le conduisait à découvrir en Dieu le visage de l'amour. La tentation de désespoir de 1586 ne fut qu'un épisode. Ce terrible affrontement de François à la justice de Dieu ancra à jamais en son être la conviction que Dieu est un dieu d'amour. «Dieu est amour» et l'union de l'âme avec Dieu se fait dans et par l'amour. Si, au livre 5 du **Traité**, François de Sales analyse la différence entre l'amour de complaisance et l'amour de bienveillance, et ses analyses sont précieuses, il nous rappellerait lui-même que, plus que de raisonner, il est important d'aimer : «La perfection de la vie chrestienne consiste en la conformité de nostre volonté avec celle de nostre bon Dieu» (15).

Cette conviction du primat de l'amour le fit peut-être sous-estimer quelque peu la mystique spéculative. Il mettra l'accent beaucoup plus sur le Dieu-amour que sur le Dieu-lumière. A l'extase dionysienne de l'entendement, François de Sales préférera l'extase de la volonté, et plus encore l'extase de la vie, qui, sans manifestations extraordinaires, fait qu'une âme vide d'elle-même ne vit plus que de la vie même de Dieu.

Henri Bremond a fait bonne justice des étranges allégations qui feraient de François de Sales un «déiste ou chrétien honteux» (16). Si elle n'insiste pas autant qu'on pourrait le souhaiter sur notre incorporation au Christ par le baptême, la doctrine salésienne fait cependant très large place à l'humanité du Seigneur : «Le plus ordinaire sejour de l'ame doit estre autour de la Croix, et le pain quotidien de la Religion, la meditation de la Passion» (17). L'**in manus tuas, Domine, commendo spiritum meum** «est la parole essentielle de l'amour : c'est l'ame de l'amour» (18).

L'imitation de Jésus-Christ dépasse nos forces.

C'est pourquoi François recommande de se laisser modeler de l'intérieur par l'Esprit de Jésus. C'est au don de piété qu'il attribue spécialement la naissance de l'esprit filial : «O don de pieté, riche present que Dieu fait au cœur ! Bienheureux est celuy lequel a cette correspondance de cœur filial envers le cœur paternel du Pere celeste» (19). Dans son **Traité**, François expose sa conception originale des dons du Saint-Esprit : pour lui, les dons «ne sont pas seulement inseparables de la charité, ains… ils sont les principales vertus, proprietés et qualités de la charité» (20). Une âme «dévote» est une âme totalement docile à l'Esprit Saint. En ce sommet d'ailleurs, tout se rejoint : l'amour filial, la parfaite conformité à Jésus-Christ, la parfaite indifférence et le total abandon.

L'Eglise n'est pas pour François de Sales l'enjeu d'un combat, mais une source de vie. En restaurant la vie chrétienne à l'intérieur de l'Eglise dont il était devenu le pasteur, il travaillait efficacement à rendre au Corps du Christ son unité visible. Le «docteur de la dévotion», de «la perfection individuelle», n'a pas méconnu la réalité mystique de l'Eglise. S'il n'emploie pas l'expression «Corps mystique», il en connaît la réalité et il en vit.

Cette amour nous est donné dans et par l'Eglise : «Toute la doctrine qu'elle annonce consiste en la sacree dilection, plus esclattante en vermeil que l'escarlatte, a cause du sang de l'Espoux qui l'enflamme, plus douce que le miel, a cause de la suavité du Bienaymé qui la comble» (21). C'est l'enseignement de l'Eglise qu'il entend exposer. En effet, «tout est a l'amour, en l'amour, pour l'amour de l'amour en la sainte Eglise» (22). Il y propose «ce que l'attention au service des ames et l'employte de vingt quattre annees en la sainte predication m'ont fait penser estre plus convenable a la gloire de l'Evangile et de l'Eglise» (23). La mort rédemptrice du Christ lui inspire des réflexions analogues. Jésus «respandit jusqu'à la derniere goutte de son sang... come pour faire un ciment sacré duquel il devoit et vouloit cimenter, unir, joindre et attacher l'une à l'autre toutes les pierres de son Eglise, qui sont les fidelles» (24).

Une spiritualité centrée sur l'amour s'exprime concrètement par la recherche de la volonté de Dieu, la conformité inspirée par un amour sans cesse plus pur à cette volonté, le «trespas» de la volonté propre réalisé dans la sainte indifférence et l'abandon.

Comme son maître saint Ignace au début des **Exercices spirituels**, François s'attache à convaincre son disciple que «l'homme est creé pour louer, venerer et servir Dieu.» Tout le reste est moyen. Dès le point de départ, l'ascèse est ainsi délibérément orientée vers les sommets. Au pécheur qui hésite, il montre sans plus attendre l'épanouissement de l'amour auquel Dieu l'appelle : «l'ame qui aspire à l'honneur d'estre espouse du Filz de Dieu, se doit despouiller du viel homme et se revestir du nouveau, quittant le peché» (25). L'amour est l'alpha et l'oméga de la spiritualité salésienne. François de Sales n'envisage jamais le travail de purification de dépouillement, de désappropriation sous son aspect purement humain, mais comme une invasion progressive de l'amour. Les vertus elles-mêmes sont des modalités de la charité.

Le grand obstacle à l'amour de Dieu, c'est l'amour-propre. «L'amour propre ne meurt jamais que quand nous mourrons, il a mille moyens de se retrancher dans nostre ame, on ne l'en sçauroit desloger» (26).

Dans l'acquisition des vertus, il faut garder le sens du but auquel elles nous doivent acheminer, qui est la perfection de la charité. François de Sales recommande justement les vertus qui sont en relation plus étroite avec la charité. L'humilité «nous fait aimer nostre propre abjection», elle est directement opposée à l'amour-propre — à condition qu'il ne s'agisse point de la recherche déguisée de l'estime des autres : «Nous disons maintesfois que nous ne sommes rien, que nous sommes la misere mesme et l'ordure du monde : mais nous serions bien marris qu'on nous prist au mot et que l'ont nous publiast telz que nous disons» (27). Quant on connaît la conception de la perfection et de l'humilité salésienne, il n'est pas difficile de trouver la raison la plus profonde pour laquelle saint François de Sales a posé l'humilité comme fondement de notre vie spirituelle : c'est elle qui fait le travail — nécessaire et indispensable — écartant tous les obstacles à la réception du don de Dieu : la grâce en donnant à Dieu la possibilité d'agir par la charité. «Pour recevoir la grace de Dieu en nos cœurs, dit le saint Docteur, il les faut avoir vuides de nostre propre gloire» (28).

François de Sales recommande ensuite les vertus qui traduisent le mieux dans la vie quotidienne la charité fraternelle, à savoir la patience et la douceur. La douceur, selon saint François de Sales, est tellement importante que, sans elle, la vraie charité fraternelle est presque impossible. «Le baume... represente l'humilité, et l'huyle d'olive, qui prend tous-jours le dessus, represente la douceur et debonnaireté, laquelle surmonte toutes choses et excelle entre les vertus comme estant la fleur de la charité, laquelle, selont saint Bernard, est en sa perfection quand non seulement elle est patiente, mais quand outre cela, elle est douce et debonnaire» (29). Au contraire, celui qui a la douceur, non seulement possède les vertus opposées, mais aussi la force incomparable qui attire les autres, parce que la douceur, cette «cresme de la charité» (30) est la plus captivante de toutes les vertus et la plus capable de gagner les âmes.

Il semble remarquable ici que la douceur se lie inséparablement au nom et à la physionomie de saint François de Sales. «La douceur, écrit Hamon, semble résumer toute la vie de saint François de Sales : c'est cette vertu que les fidèles ont célébrée à l'envi comme son caractère distinctif. S'il a fait de si grandes choses, c'est surtout par l'empire de sa douceur ; s'il a converti tant de pécheurs et d'hérétiques, élevé à la perfection tant d'âmes justes, consolé tant de cœurs affligés, c'est par l'onction de sa douceur, si enfin les livres qu'il a composés ont fait et font encore tous les jours tant de fruit dans l'Eglise, c'est parce que la douceur s'y montre à toutes les pages et semble elle-même en avoir écrit toutes les lignes» (31).

Nous ne pouvons trouver meilleur résumé de tout ce que nous avons dit sur la condescendance et sur la douceur de saint François de Sales que dans la confidence qu'il a faite à la mère de Chantal dans une lettre de l'année 1620 ou 1621. On y voit comment tout cela se mêle à l'amour de Dieu, et, en effet, que la conséquence et l'expression de celui-ci. Ces paroles peuvent nous servir de règles, car **sa vie et sa doctrine ne faisaient qu'un**. «Mays c'est grand cas, il n'y a point d'ames au monde, comme je pense, qui cherissent plus cordialement, tendrement et, pour le dire, tout a la bonne foy, plus amoureusement que moy : car il a pleu a Dieu de faire mon cœur ainsy... : mais c'est merveille comme j'accomode tout cela ensemble, car il m'est advis que je n'ayme rien du tout que Dieu et toutes les ames pour Dieu» (32).

La douceur et le système chrétien des vertus salésiennes nous a donné ce **saint** François ; et bien d'autres aussi. Le stoïcisme saurait-il soutenir la comparaison avec ce système salésien ? Si on objecte que les vices de ceux qui font profession d'une doctrine ne prouvent rien contre ses principes, et que, de ce qu'il y a eu de mauvais stoïciens, on n'est pas autorisé à conclure que le stoïcisme soit mauvais : pas plus qu'on ne saurait conclure que le christianisme est mauvais parce qu'il y a de mauvais chrétiens. Mais que dire, néanmoins, d'une doctrine qui a été à ce point stérile, de n'avoir pas produit un seul homme véritablement vertueux, ou même simplement un homme qui ait vécu conformément à ses principes ? Car c'est là le reproche qu'Epictète adressait aux stoïciens de son temps, et l'aveu est précieux dans sa bouche : «Je vous assure que je désire fort voir un stoïcien : mais si vous n'en avez point à me montrer qui soit déjà formé, au moins montrez-m'en un qui se forme. N'enviez pas ce bonheur à un homme déjà vieux qui désire voir ce grand spectacle qu'il n'a point vu jusqu'à ce jour» (33). Ce mot dit tout, il est inutile d'y rien ajouter.

Au terme de ces considérations, si nous voulons saisir toute l'importance que saint François de Sales attache à la douceur, il est essentiel de se rappeler que, pour lui, la charité exige nécessairement l'humilité et que la douceur n'est que la forme spéciale prise par l'humilité quand il s'agit d'aimer le prochain. Dans un de ses sermons, il met en plein relief cette valeur première et fondamentale de l'humilité : «L'humilité nous est tellement necessaire que sans icelle nous ne pouvons estre aggreable a Dieu ni avoir aucune autre vertu, pas mesme la charité qui perfectionne tout, car elle est si conjointe à l'humilité que ces deux vertus ne peuvent estre séparées» (34).

Les termes humilité et douceur donc ne désignent qu'une seule et même vertu selon que celle-ci s'exerce dans l'amour de Dieu ou dans l'amour du prochain. Les deux mots sont synonymes et ils seraient pratiquement interchangeables, n'était chez François le souci d'être mieux entendu et peut-être aussi de souligner une nuance qui a son importance, car humilité, en nous rappelant notre néant, caractérise mieux notre attitude de Dieu, tandis que douceur définit plus clairement, plus l'essentiel nos relations avec nos semblables.

Ce sont là les éléments essentiels de l'ascèse salésienne, toute orientée vers l'épanouissement de l'amour. Il n'y a pas solution de continuité entre l'amour encore timide des commençants et l'amour qui embrase le cœur des saints. Sans parler à Philothée des sommets qu'il désire pour elle, François sait pourtant que le chemin où il la fait entrer doit, par la pure miséricorde de Dieu, l'y conduire un jour. C'est dans cette optique qu'il faut considérer les autres points de l'ascèse salésienne. Il suffirait de rappeler ici ce qui en fait l'unité profonde.

Il n'y a pas de petites «industries» salésiennes ; tous les exercices prescrits à Philotée sont, dès le point de départ, orientés vers la consommation dans l'amour.

Les oraisons jaculatoires sont faites «pour vous donner de l'amour de Dieu et vous exciter a une passionnee et tendre dilection de ce divin Espoux» (35). «Si l'ame cherche les moyens d'estre delivree de son mal pour l'amour de Dieu, elle les cherchera avec patience, douceur, humilité et tranquilité» (36). «Les moindres mortifications qui se presentent d'elles mesmes à nous sans nostre choix sont les meilleures et doibvent estre preferees aux plus grandes faictes par election…, là où il y a moins de nostre choix, il y a plus de la volonté de Dieu» (37).

C'est donc toujours une conscience très nette du but à atteindre qui guide saint François de Sales dans l'utilisation des moyens de perfection.

François se garde bien de considérer l'oraison comme une panacée. Bien qu'il ait donné à Philothée une méthode d'oraison, il sait que le «vray amour n'a guere de methode» (38) L'oraison vaut ce que vaut l'amour où elle s'enracine et c'est à ses fruits qu'il faut la juger. Ce que le saint demande à ses dirigés, c'est qu'ils soient habituellement tournés vers Dieu ; alors cette orientation constante de leur vie fleurira, toutes les fois que leur devoir d'état leur en laissera le loisir, en acte formel de prière.

La prise de conscience de la divine présence est le premier point de la méthode d'oraison que François recommande aux débutants. François rendra familier, s'il ne l'a créé, le mot d'«oraison de simple présence» pour désigner ce que sainte Thérèse appelle «oraison de recueillement» ou de «quiétude», mettant ainsi l'accent non sur l'effet, mais sur la cause qui le produit. «Ce sera... bien faire l'oraison, mes cheres filles, que de se tenir en paix et tranquillité aupres de Nostre Seigneur, ou à sa veuë, sans autre désir ni pretention que d'estre avec luy et de le contenter» (39) L'oraison de simple présence consiste à être présent à Dieu, non à méditer sur sa présence ou à la sentir ; en cette quiétude, «la volonté n'agit que par un très simple acquiescement au bon playsir divin, voulant estre en l'oraison sans aucune pretention que d'estre à la veue de Dieu selon qu'il luy plaira» (40). Ce dernier texte montre bien qu'il s'agit d'une présence amoureuse, Même si elle nous est parfaitement insensible »: «O vray Dieu, que c'est une bonne façon de se tenir en la présence de Dieu, d'estre et vouloir tous-jours et a jamais estre en son bon playsir !

car ainsy, comme je pense, en toutes occurences, ouy mesme en dormant profondement, nous sommes encor plus profondement en la tressainte presence de Dieu» (41). Lorsque l'âme émerge de la nuit, le sentiment de la présence lui est rendu avec une pureté et une intensité exceptionnelles, mais de cela François ne parle guère. Il parle, au contraire, du suprême degré de remise en Dieu qui correspond à cette suprême réalisation de la présence. C'est le total abandon, le sommet de la sainte indifférence.

Saint François sait que Dieu appelle tous les hommes à la perfection, puisqu'il leur fait un commandement d'y tendre : il sait que cette perfection est la perfection de l'amour, et que sa nature «l'amour divin est extatique, ne permettant pas que les amans soyent a eux mesmes, ains a la chose aymee» (42). Quand l'âme met en œuvre les moyens ascétiques enseignés à Philothée pour ne plus vivre pour elle-même, Dieu réalise d'ordinaire ce qu'elle ne peut faire, même avec la collaboration de la grâce ordinaire sans laquelle elle ne peut rien. Et par des moyens nouveaux, qui marquent son entrée dans la voie mystique, Dieu réalise ce dépouillement, cette purification, ce vide qui permettront à l'amour de s'épanouir. Les racines du péché sont enfouies à une profondeur où l'âme ne peut agir, car son activité consciente n'y a pas accès. Non qu'elle soit désormais uniquement passive sous l'action de Dieu, mais ce que Dieu attend d'elle, ce n'est plus l'initiative, c'est l'acquiescement.

La vie mystique est à la fois une mort à soi et une vie

en Jésus-Christ. Selon leur grâce particulière, les écrivains mystiques ont insité de préférence, les uns sur l'aspect mort, les autres sur l'aspect vie, ou, si l'on préfère, sur l'aspect lumineux ou nocturne de l'expérience mystique. Aucun n'a ignoré absolument l'autre face du problème. François de Sales, aux livres 6e et 7e du **Traité**, parce qu'il prend alors pour guide principal sainte Thérèse, présente le développement mystique de l'âme sous l'aspect d'un progrès dans la lumière et l'amour. Mais au livre 9e parlant surtout d'après l'expérience de Jeanne de Chantal conduite par des nuits très profondes, il emploie un autre vocabulaire. On se demande parfois où l'on pourrait intercaler le saint abandon ou la sainte indifférence dans l'itinéraire thérèsien. Vaine préoccupation. La «tressainte indifférence» ne précède ni ne suit «l'union» : c'est la même chose, vue sous un angle diamétralement opposé.

Sans revenir sur l'échelle mystique salésienne, notons seulement qu'en parlant des «exercices du saint amour en oraison» François était tout naturellement amené à présenter de préférence les aspects positifs et lumineux de l'expérience mystique. Mais il se rendait compte que ce n'était pas là toute expérience, puisqu'il ne pouvait y inclure celle de Jeanne de Chantal. On discerne déjà dans le livre 7e, par la distinction entre le «sentiment d'union» et l'union habituelle «en la cime et supreme pointe de l'esprit», que François de Sales ne veut pas réserver le nom d'union aux aspects lumineux de l'oraison d'union. De fait, c'est encore d'union qu'il s'agit au livre 9e, consacré à la sainte indifférence et qu'il intitule : «De l'amour de soumission par lequel notre volonté s'unit au bon playsir de Dieu». Si l'indifférence salésienne a pu quelquefois être considérée comme une disposition totalement passive, comme un non-vouloir, c'est que l'on oubliait cette donnée qui paraît essentielle : l'indifférence n'est pas un tout, elle est l'aspect nocturne de l'amour.

La spiritualité salésienne est centrée sur l'abandon de l'âme entre les mains de Dieu. François de Sales compare volontiers cet abandon à l'attitude du petit enfant entre les bras de sa mère, image qu'il emprunte à la grande mystique castillane (43). Mais Thérèse d'Avila ne pousse pas plus loin la comparaison ; son amour pour le Seigneur était un amour d'épouse et c'est sur la fidélité et l'intimité qu'elle fait porter l'accent ; le sommet de son ascension spirituelle est un «mariage». Il en va tout autrement de saint François de Sales et on doit l'inscrire en bonne place dans la longue série des écrivains spirituels qui, avant sainte Thérèse de l'Enfant-Jésus, ont présenté les rapports de l'âme avec son Dieu sous l'aspect de l'enfance spirituelle.

Ainsi, pour récapituler un peu, le stoïcisme, prenant son point de départ dans le panthéisme, se met dans l'impossibilité radicale d'avoir autre chose qu'une parodie de morale, puisque Dieu étant lui-même le principe des actes de l'homme, le vice aussi bien que l'erreur deviennent impossibles, et qu'ainsi, par contre-coup, la vertu est supprimée. Saint François, au contraire, partant de la création, laisse au devoir sa raison d'être.

Le stoïcisme, avec la prétention de fonder une morale spiritualiste, aboutit dans cette morale même au matérialisme le moins déguisé ; car il ne propose d'autre but à l'homme que la conservation et le développement de sa constitution. Dans le christianisme, le but que l'homme se propose d'atteindre est placé plus haut que l'organisme, et par conséquent sa morale est vraiment spiritualiste.

D'après le stoïcisme, il n'y a qu'une vertu dont tous les actes sont égaux aussi bien que tous les actes des vices. Suivant saint François de Sales, il y a plusieurs vertus différenciées par leur objet, et plusieurs degrés de vertus mesurés sur l'habitude et l'intensité des actes.

Les stoïciens soutiennent que la vertu est inadmissible ; les chrétiens professent qu'elle peut se perdre ou s'altérer, et qu'à quelque degré que l'on soit parvenu, on peut toujours déchoir.

Le stoïcisme propose à l'homme l'accomplissement du devoir par le motif du devoir. Il ne présente à sa pensée qu'une abstraction, impuissante, surtout à l'heure de la passion, à retenir la volonté dans le bien. Saint François, en plaçant devant ses yeux Dieu lui-même comme la raison dernière du devoir, frappe son esprit par cette idée concrète, et détermine sa volonté à se conformer à celle du maître.

La morale stoïcienne, en prescrivant l'accomplissement du devoir par le motif unique du devoir, et en éliminant comme impur tout motif d'intérêt personnel, même supérieur offre à l'homme un idéal si élevé que sa faiblesse ne lui permet pas d'y atteindre. La morale chrétienne, en joignant au motif du devoir celui de la récompense dans un monde où tous les actes de la conscience produiront leur dernier effet, nous propose un motif plus proportionné à notre faiblesse, et fait preuve, en même temps, d'une science métaphysique plus profonde et plus exacte, en ne séparant pas le souverain bonheur du souverain bien.

Ce souverain bien lui-même, si longtemps et si vainement cherché par la philosophie antique, le stoïcisme le place dans la vie parfaitement conforme à la nature et à la raison, produisant l'harmonie des facultés naturelles, et aboutissant enfin à l'ataraxie, c'est-à-dire à l'insensibilité ; — tandis que le christianisme, avec la haute et souveraine raison qui le caractérise, franchissant d'un bond les frontières du monde sensible, après avoir renversé du pied tout l'échafaudage de ces solutions puériles, va le placer dans l'être qui étant le principe des autres doit aussi en être la fin, et qui, satisfaisant à jamais toutes leurs aspirations légitimes, constitue pour chaque âme le souverain bien par sa possession.

Le stoïcisme, après nous avoir offert de son sage un idéal sublime, sentant qu'il est au-dessus des forces humaines, le déclare irréalisable, et détruit par là tout l'édifice de sa morale si laborieusement construit. Saint François de Sales, au contraire, nous montre dans la mesure qui convient à de simples créatures, le vrai type d'une perfection d'après l'homme-dieu.

Telles sont des différences profondes, radicales, qui séparent la morale salésienne de la morale stoïcienne. Comment comprendre, après cela, que saint François de Sales aurait pu être stoïque ?

CHAPITRE III

(1) Bremond, H., **Sainte Chantal**, p. 112.

(2) **Œuvres**, IV, p. 9.

(3) Liuima, A., **Op. cit.**, I, p. 152.

(4) **Œuvres**, IV, p. 96.

(5) Exod., III, 14.

(6) Diog. Laerce, **Vie de Zénon.**

(7) **Traité de la Providence.**

(8) Plutarque, **De communibus notitus versus Stoicos**, 36.

(9) Plutarque, **De stoicorum repugnantis**, 34.

(10) Tertullien, **De anima.**

(11) Ci-dessus. **p. 69.**

(12) **Œuvres**, III, p. 169.

(13) Sénèque, **Lettres**, XV.

(14) **Ibid.**, LXVI.

(15) **Œuvres**, XXVI, p. 185.

(16) **Op. cit.**, III, p. 47.

(17) **Œuvres**, XXI, p. 158.

(18) **Ibid.**, V, p. 477.

(19) **Ibid.**, X, p. 423.

(20) **Ibid.**, V, p. 292.

(21) **Ibid.**, IV, p. 3.

(22) **Ibid.**, p. 4.

(23) **Ibid.**, IV, p. 13 s.

(24) **Ibid.**, X, p. 277.

(25) **Ibid.**, III, p. 26.

(26) **Ibid.**, XII, p. 383.

(27) **Ibid.**, III, p. 147.

(28) **Ibid.**, p. 139.

(29) **Ibid.**, p. 161.

(30) **Ibid.**, p. 283.

(31) **Op. cit.**, II, p. 506.

(32) Œuvres, XX, p. 216.

(33) **Entretiens**, 11, 19.

(34) **Œuvres**, IX, p. 224.

(35) **Ibid.**, III, p. 95.

(36) **Ibid.**, p. 311.

(37) **Processus remissorialis gebennensis**. I, 28.

(38) **Œuvres**, XVIII, p. 239.

(39) **Ibid.**, VI, p. 349.

(40) **Ibid.**, IV, p. 342.

(41) **Ibid.**

(42) **Ibid.**, V, p. 24.

(43) **Ibid.**, IV, p. 334.

Conclusion

les œuvres stoïques ont influencé saint François de Sales, mais il n'était pas stoïque

La raison profonde donc des divergences, des oppositions, est l'absence, chez les anciens, de la vertu théologale qui fonde et enferme toutes les autres dans l'économie de la spiritualité salésienne, c'est-à-dire la charité. Chez eux «cette sorte de repentance, attachee a la science et dilection de Dieu que la nature peut fournir, estoit une dependance de la religion morale ; mays comme la rayson naturelle a donné plus de connoissance que d'amour aux philosophes qui ne l'ont pas glorifié a proportion de la notice qu'ilz en avoyent, aussi la nature a fourni plus de lumiere pour faire entendre combien Dieu estoit offencé par le peché, que de chaleur pour exciter le repentir requis a la reparation de l'offence» (1).

Le stoïcisme donc est pauvre d'amour : amour de Dieu, trop mal connu ; amour des autres, individus transitoires et en somme toujours étrangers. Aussi le stoïcisme encourt-il le reproche d'orgueil, de cruauté et d'imposture. Son imposture consiste non seulement à ne pas accorder théorie et conduit, mais à recommander de prendre le masque par condescendance et mépris envers l'imbécillité humaine. Pleurer avec ceux qui pleurent, leur prodiguer des condoléances — des mots — oui. Mais permettre à la souffrance réellement partagée l'accés de son âme — non. François de Sales ne cite pas la pensée XVII du **Manuel**, mais l'on sait assez que sa civilité sans mensonge, son amitié sans limite, condamnait les simagrées sociales comme les simagrées de la fausse piété. Les chagrins vrais et naïvement manifestés, effets directs ou indirects de l'amour que l'homme porte à soi-même et à son prochain, trouvent leur explication suprême et simultanément leurs limites, leur consolation dans l'amour qu'il a pour Dieu. La pratique désorientée des stoïciens, qui n'est pas inspirée par l'amour mais par l'orgueil, méconnaît la hiérarchie des devoirs, autorise l'acte criminel pour atteindre à la gloire. Le **Traité**, au chapitre X du Livre XI, bien qu'il étende ses remarques à tous les «payens» — vise principalement les stoïciens et, à la suite de saint Augustin, proteste non sans véhémence contre la glorification traditionnelle des héros de l'antiquité, ravisée par l'humanisme du XVIe siècle et qui s'allait perpétuer par l'enseignement des «humanités».

«Celuy d'entre les stoïciens et capitaines qui, pour s'etre tué soy-mesme en la ville d'Utique affin d'eviter une calamité qu'il estimoit indigne de sa vie, a esté tant loué par les cervelles profanes, fit cette action avec si peu de veritable vertu, que, comme dit saint Augustin, «il ne tesmoigna pas un courage qui voulut eviter la deshonnesteté, mais une ame infirme qui n'eut pas l'asseurance d'attendre l'adversité...». Il s'est tué «parce qu'il envia a Cesar la gloire qu'il eust eu de luy donner la vie, ou parce qu'il apprehenda la honte de vivre sous un vainqueur qu'il haissoit : en quoy il peut estre loué d'un gros, et encor, a l'adventure, grand courage, mais non pas d'un sage, vertueux et constant esprit» (2). Il ajoute cette maxime générale, toujours bonne à méditer : «La cruauté qui se prattique sans esmotion et de sang froid est la plus cruelle de toutes, et c'en est de mesme du desespoir : car celuy qui est le plus lent, le plus deliberé, le plus resolu, est aussi le moins excusable et le plus desesperé. »

«Certes si les payens ont prattiqué quelques vertus, ç'a esté pour la pluspart en faveur de la gloire du monde, et par consequent ilz n'ont eu de la vertu que l'action, et non pas le motif et l'intention. Or la vertu n'est pas vraye vertu si elle n'a la vraye intention»... «Ce ne fut pas l'amour de l'honnesteté, mais l'amour de l'honneur qui poussa ces sages mondains a l'exercice des vertus : et leurs vertus de mesme durent aussi differentes des vrayes vertus comme l'honneur de l'honnesteté, et l'amour du merite d'avec l'amour de la recompense»... «Nos anciens Peres ont appellé les vertus des payens vertus et non vertus tout ensemble : vertus, parce qu'elles en ont la lueur et l'apparence : non vertus, parce que non seulement elles n'ont pas eu cette chaleur vitale de l'Amour de Dieu qui seule les pouvoit perfectionner, mais elles n'en estoyent pas susceptibles, puis qu'elles estoyent en des sujetz infidèles» (3).

Les comparaisons aggravent la sévérité de ces juge-
ments : les vertus des païens ressemblent aux vers
luisants qui brillent dans la nuit : non plus dans la clarté
de la Révélation : ou encore elles sont comparables aux
pommes véreuses qui ont la couleur — un peu de substance, mais «le ver de la vanité est au milieu, qui les
gaste». A la fermeté de courage d'un Caton d'Utique ou
d'un Sénèque se donnant la mort pour «la vanité de la
gloire», il oppose le courage invincible des martyrs
mourant pour la gloire de la Vérité, il s'étonne que
l'admiration aille cependant aux premiers, non pas aux
seconds «cent fois plus dignes d'admiration et seuls
dignes d'imitation».

Epictète ici n'est pas nommé : on se souvient que
saint François le croit converti «in articulo mortis». Sa
conversion étant avec raison contestée par l'histoire, il
rejoindrait, en conséquence des principes ici professés,
le groupe trop admiré «des vertueux non vertueux».

La «théologie» des stoïciens est indécise, instable,
leur «anthropologie», leur psychologie sommaire et
abusivement optimiste (4). De ce fait, ils ne peuvent
prétendre à régler correctement la conduite humaine. Ils
n'ont connu ou reconnu ni l'unité et la transcendance de
Dieu, ni son amour, ni la nécessité d'une médiation,
seule vraiment libératrice. Leur piété si peu fardée
qu'elle soit s'adresse à une divinité si peu déterminée
qu'ils risquent de l'offusquer et n'avoir de regard que
pour leur propre personne. Leur Dieu ou leurs dieux :
lois de la nature ou destin, infrangible nécessité, ne
préfigurent nullement le Dieu Unique, Pur Esprit, Puis-

sance Créatrice qui par amour pour sa créature, dans le cours irréversible de l'histoire prend Corps et Visage (5). L'homme tel qu'ils le conçoivent, capable de «se posséder», de s'accorder avec soi-même et avec le cosmos, est le seul artisan de son «salut» ou de sa félicité. Cet humanisme qui tend à éliminer le drame de notre condition apparaît à François de Sales comme un leurre. Par vocation, son regard se fixe sur le Christ : par expérience — la sienne et celle des autres qui lui font confidence —, il sait que l'homme est difficilement, rarement pacifié.

L'**apatheia** ou l'ataraxie — indifférence, impassibilité dans l'unité plénière — est, aux yeux de François de Sales, une chimère ou un mensonge. Il n'est pas vrai que l'homme demeure invulnérable dans les vicissitudes de l'existence — comme le rocher que les vagues n'ébranlent pas. Nature divisée ou déchirée, il est déjà son propre adversaire et le drame intime ne se dénoue jamais ici-bas définitivement. Pour trouver la paix, «la sainte tranquillité», il faut descendre au-dessous des agitations de surface aux régions sanctifiées de l'âme. Sans doute l'Evêque enseigne-t-il à ses religieuses que la vertu n'est pas chose si terrible qu'on l'imagine (6) : elles sont préservées mieux que les gens du monde. Même à celle-là il n'indique pas des voies fleuries menant agréablement à la maîtrise de soi, à la pleine satisfaction. Le combat spirituel n'est pas une métaphore décorative, au titre d'un livre, c'est une expression propre dont il a éprouvé la pathétique signification.

Donc l'**apathéia** n'est ni l'insensibilité, ni moins encore l'impeccabilité. Elle est simplement la domination sur les impressions sensibles, devenue habituelle dans l'âme croyante qui a ainsi «mortifié ses membres qui sont sur la terre», selon le mot de saint Paul, pour régénérer son attrait pour les choses de Dieu. Désormais, ce ne sont plus ses désirs émancipés qui règnent, assujettis aux impressions de la chair et du monde, mais bien l'Esprit de Dieu. L'accession à l'**apathéia** a donc comme contre-partie immédiate la diffusion dans notre cœur de l'amour de Dieu, de cette agape céleste que l'Esprit-Saint y répand par sa venue.

Dans la description qu'ils font de cet état auquel aboutit la purgation de l'âme par la mortification des sens, les Pères puisent largement à l'enseignement des stoïciens. Ceux-ci, en effet, déjà sous le nom d'**apathéia**, faisaient l'apanage de leur sage idéal d'une maîtrise de soi-même réalisée dans la sujétion volontaire de la raison ou maître de l'univers, au mépris des impressions sensibles. Cependant, l'**apathéia** chrétienne diffère de l'**apathéia** stoïcienne d'abord en ce qu'elle est, non une acceptation simplement de la loi impersonnelle qui règle tout l'univers, au mépris des impressions sensibles, mais une acceptation de la volonté d'un Dieu libre et tout-aimant, connu par la foi. Encore ce Dieu nous y amène-t-il, non par la contrainte de sa toute-puissance à laquelle nous ne pouvons que nous résigner passivement, mais par la condescendance de sa grâce. A celle-ci nous adhérons, non seulement librement, mais dans un acte de foi vivifiée par l'amour qui est comme la restauration même de notre liberté jusque la captive sous le joug du péché, de la chair, du monde, du diable. On peut même dire, dans la ligne de saint Paul, que c'est là une victoire de l'amour sur la loi de Dieu elle-même, en ce sens que l'**apathéia** nous fait, non pas nous astreindre à une loi imposée du dehors, comme une contrainte de notre volonté, mais adhérer dans l'amour filial le plus libre qui soit à la générosité, à la spontanéité créatrice de l'amour paternel.

Nous avons montré (7) que l'indifférence salésienne n'est pas seulement l'effort d'ascèse par lequel une âme impose silence aux préférences de la nature, pour découvrir, grâce à «l'équilibre de la balance», le choix de Dieu. Il est vrai que saint François de Sales emploie quelquefois le mot dans ce sens (8) mais d'ordinaire, l'indifférence est pour lui le sommet de l'amour, auquel parvient, après le «trespas de la volonté», l'âme qui, parfaitement ressemblante à Jésus, selon la mesure de la grâce qui lui est donnée, vivant en lui et pour lui, le rejoint, fût-ce sur la croix et dans la nuit la plus obscure, au sommet du total abandon. C'est ce que François, insistant ici sur la «mort a soi-meme» que comporte toute vie en Jesus-Christ, appelle «l'extase de la vie» (9).

On admet communément l'opposition foncière des doctrines stoïques et chrétiennes et des comportements que respectivement elles entraînent. Ravaisson, disposant d'une information d'historien dont ne disposait pas l'Evêque de Genève, et qui de surcroît était étrangère à ses préoccupations pastorales et apologétiques, écrivait au milieu du XIXe : «Le chrétien est humble autant que le stoïcien est superbe. Le chrétien attend tout du Dieu qui change les cœurs ; le stoïcien n'attend rien que de lui-même» (10). L'antithèse où les termes-sujets sont employés, il va sans dire, dans leur signification idéale, ne met pas de fausses fenêtres à l'édifice de la pensée historique. Elle exprime sans doute une vérité générale que l'on n'effacera pas. Cependant la curiosité érudite n'est pas du coup interdite qui cherche les vérités particulières en s'appliquant à découvrir à l'intérieur de l'unité d'une école la diversité des personnalités. Elle y est d'autant plus autorisée que l'école (au sens large) a duré plus longtemps en des circonstances et des milieux qui ont changé. Il est possible encore qu'une analyse conduite selon l'esprit de la psychologie d'aujourd'hui aboutisse à réduire quelque peu les oppositions en allant aux régions des motivations obscures, des désirs confus, mal connus et mal accomplis. C'est ainsi qu'elle interpréterait le mépris héroïque de la souffrance et de la mort parmi les stoïciens comme «une foi désespérée en la valeur du sacrifice» (11). Ravaisson, lui, ne prononçait que l'adjectif sans complément et constatait que l'orgueil les conduisait à «une tristesse et un abattement de cœur tout proche du désespoir» (12).

Quoi qu'il en soit de ces analyses, on ne court aucun risque d'erreur à supposer que François de Sales les eût approuvées et qu'il eût apprécié leurs résultats positifs.

Et davantage : s'il prenait plaisir à lire les propos et sentences d'Epictète, c'est que son âme y trouvait quelque profit. La vie intérieure, avec discernement, sans dilettantisme, s'abreuve à bien des sources.

Nous avons vu qu'il y a entre la doctrine des stoïques et celle-là de saint François de Sales des différences de fond très prononcées, si prononcées que l'une est précisément la contrepartie de l'autre. C'est là ce que nous avons établi dans le cours de ce travail. Mais qui peut mieux se défendre que notre grand saint lui-même ? L'évêque de Belley louant un jour devant lui la philosophie de Sénèque, et alléguant que ses maximes approchaient fort de celles de l'Evangile : «Ouy, me dit-il, quant à la lettre, nullement selont l'esprit. — Pourquoy cela, dis-je ? — Parce, repart-il, que l'esprit de l'Evangile ne vise qu'à nous despouiller de nous mesme, pour nous revestir de Jesus-Christ et de la vertu d'en haut, à renoncer à nous mesme, pour dépendre entierement de la grace : au lieu que ce philosophe nous rappelle tousjours à nous mesme, ne veut point que son sage emprunte son contentement ny sa felicité hors de soy ; ce qui est un orgueil manifeste, et une folie en grand volume. Le sage chrestien doit estre petit devant ses propres yeux, et si petit qu'il se tienne pour un rien : au lieu que ce Stoique veut que le sage qu'il s'imagine, soit au dessus de toutes choses, et s'estime maistre de tout l'univers, et artisan de sa propre fortune ; ce qui est une vanité insupportable» (13). Ainsi, au témoignage de saint François de Sales, les deux morales sont profondément dissemblables quant à l'esprit.

CONCLUSION

(1) **Ibid.**, IV, p. 148.

(2) **Ibid.**, V, p. 271.

(3) **Ibid.**, p. 272-4.

(4) Lagrange, J.-M., dans **Revue Biblique**, 1912, p. 12.

(5) Brehier, A., **Histoire de la Philosophie**, p. 496.

(6) **Œuvres**, IV, p. 124.

(7) Ci-dessus, **p. 43 ss.**

(8) **Œuvres**, VI, p. 369.

(9) Ibid., V, p. 31.

(10) De Chardin, Teilhard, **Le milieu divin**, p. 98.

(11) Busson, L., **La religion des classiques**, Paris, 1948, p. 204.

(12) **Essai**, II, p. 291.

(13) Camus, J.-P., **L'esprit du B. François de Sales**, I, 4, 15.

BIBLIOGRAPHIE

I. — SOURCES

Saint François de Sales.
Œuvres. Edition complète, publiée par Dom B. Mackey, Annecy, Niérat, 1892-1964, 27 vol.

II. — ETUDES

1) Instruments de travail

Blanc, Elie.
Dictionnaire de philosophie. Paris, Lethellieux, 1906, 1247 p., 23,5 cm.

Bouyer, Louis.
Introduction à la vie spirituelle. Paris, Desclée, 1960, 320 p. 22,5 cm.

Brasier, (V.), Morganti, (E), St. Durica (M.).
Bibliografia Salesiana, Opere et scritti riguardanti San Francesco di Sales (1623-1955). Torino, Società Editrice Internazionale, 1956, 104 p., 24 cm.

Bréhier, Emile.
Histoire de la philosophie. Paris, P.U.F., 1948, 3 vol., 23 cm.

Cognet, Louis.
Post-Reformation Spirituality. New York, Hawthorne, 1959, 143 p., 21 cm.

D'Alès, A.
Dictionnaire apologétique de la foi catholique. Paris, Beauchesne, 1922, 4 vol.

Fouillée, Alfred.
Histoire de la philosophie. Paris, Delagrave, 1920, 586 p., 23 cm.

Giraud, Jean.
L'église et les origines de la renaissance. Paris, Lecoffre, 1902, 339 p., 18,5 cm.

Lanson, Gustave.
Histoire de la littérature française. Paris, Hachette, 1951, 144 p., 18,5 cm.

Owens, Joseph.
History of Ancient Western Philosophy. New York, Appleton, 1959, 434 p., 22 cm.

Prunel, Louis.
La Renaissance catholique en France au XVIIe siècle. Paris, Desclée, 1921, 316 p., 18,5 cm.

Rayo, Antonio.
Theology of Christian Perfection. Dubuque, Priory Press, 1962, 692 p., 24 cm.

Rivaud, Albert.
Histoire de la philosophie. Paris, P.U.F., 1948, 2 vol.

Villey, Pierre.
Les Sources d'idées. Paris, Plon, 1912, 278 p., 19,5 cm.

Villey, Pierre.
Les Sources et l'évolution des «Essais» de Montaigne. Paris, Hachette, 1933, 2 vol.

2) Etudes générales

Armstrong, Arthur.
Christian Faith and Philosophy. London Darton, Longmann and Todd, 1960, 241 p., 23 cm.

Armstrong, Arthur.
An Introduction to Ancient Philosophy. London, Methuen, 1957, 112 p., 14 cm.

Bremond, André.
La piété grecque. Paris, Bloud et Gay, 1914, 202 p., 18,5 cm.

Bremond, Henri.
Histoire littéraire du sentiment religieux en France depuis la fin des guerres de religion jusqu'à nos jours. Paris, Bloud et Gay, 1929-1936, 12 vol.

Buffenoir, Hippolyte.
De Marc-Aurèle à Napoléon. Paris, Ambert, 1914, 350 p., 20,5 cm.

De Chardin, Pierre.
Le Milieu Divin. London, Collins, 1960, 160 p., 21 cm.

Collot, P.
Vraie et solide piété. Tours, Mame, 1860, 253 p., 16,5 cm.

Cresson, André.
Le problème moral et les philosophes. Paris, Armand Colin, 1933, 202 p., 17,5 cm.

Dartigue-Peyrou, Jean.
Marc-Aurèle dans ses rapports avec le christianisme. Paris, Fischbacher, 1897, 237 p., 25,5 cm.

Du Vair, Guillaume.
The Moral Philosophie of the Stoicks. New Brunswick (N.J.), 1951, 134 p., 24 cm.

Du Vair, Guillaume.
Traité de la constance et de la consolation. Toulouse, La Nef, 1941, 255 p., 18,5 cm.

Festugière, André-Jean.
La Révélation d'Hermès Trismegiste. Paris, Le Coffre, 1949, 4 vol.

Festugière, André-Jean.
Personal Religion Among the Greeks. London, Cambridge, University Press, 1954, 179 p., 18,5 cm.

Goré, Jeanne Lydie.
La Notion de l'indifférence chez Fénelon et ses sources. Paris, P.U.F., 316 p., 22,5 cm.

Henriot, Emile.
XVIIᵉ Siècle. Paris, Editions de la Nouvelle Revue Critique, 1933, 233 p., 16,5 cm.

Henry, A.M.
L'Initiation théologique. Paris, Cerf, 1954, 4 vol.

Hus, Alain.
Greek and Roman Religion. New York, Hawthorn, 1962, 153 p., 20 cm.

Ignace, (Saint).
Exercices spirituels. Paris, 1960, traduits et annotés par François Courd, s.j., 261 p., 17 cm.

Lavelle, Louis.
The Meaning of Holiness. New York, Pantheon, 1954, 113 p., 21,5 cm.

Lehodey, Vital.
Le Saint abandon. Paris, Lecoffre, 1921, 532 p., 23 cm.

Louis, M.
Doctrines religieuses des philosophes grecs. Paris, Lethielleux, 1909, 374 p., 20 cm.

Mackey, Henry.
Four Essays. London, Burns, and Oates, 1883, 96 p., 22 cm.

Moeller, Charles.
Sagesse grecque et paradoxe chrétien. Paris, Casterman, 1948, 267 p., 18,5 cm.

Murray, Gilbert.
Stoic, Christian and Humanist. New York, Norton, 1940, 187 p., 19 cm.

Robin, Léon.
La morale antique. Paris, P.U.F., 173 p., 18,5 cm.

Rodier, Georges.
Etudes de philosophie grecque. Paris, Vrin, 354 p., 22,5 cm.

Scupoli, L.
Le Combat spirituel, tr. de l'italien par Morteau. Paris, Beauchesne, 1911, 241 p., 17,5 cm.

Siguier, M.
Antipater de Tarse et le stoïcisme. Grenoble, Merle, 1860, 125 p., 23 cm.

Spanneut, Michel.
Stoïcisme des pères de l'église : de Clément de Rome à Clément d'Alexandrie. (Préface de H.I. Marrou), Paris, Seuil, 1957, 487 p., 22,5 cm.

Spanneut, Michel.
Permanence du stoicisme — de Zénon à Malraux. Gembloux, Duculot, 1973.

Werner, Charles.
La Philosophie grecque. Paris, Payot, 1962, 254 p., 18 cm.

Zanta, Léontine.
La Renaissance du stoïcisme au XVIe siècle. Paris, Champion 1914, 366 p, 24 cm.

Zeller, Edouard.
Outlines of the History of Greek Philosophy. New York, Meridian, 1960, 338 p., 18 cm.

3. Etudes spéciales sur le Stoïcisme.

Aubertin, Charles.
Sénèque et Saint Paul. Paris, Didier, 1869, 446 p., 18,5 cm.

Bevan, Edwyn.
Stoics and Sceptics. Oxford, Clarendon, 1913, 152 p., 23 cm.

Bréhier, Emile.
Chrysippe et l'ancien stoïcisme. Paris, P.U.F., 1951, 295 p., 23 cm.

Bréhier, Emile.
Les Stoïciens. Paris, Gallimard, 1962, 1437 p., 17,5 cm (édité sous la direction de P.M. Schuhl).

Brun, Jean.
Le stoïcisme. Paris, P.U.F., 1961, 126 p., 17,5 cm.

Chollet, André.
La Morale stoïcienne en face de la morale chrétienne. Paris, Lethielleux, 1898, 365 p., 15 cm.

Dourrif, A.
Du Stoïcisme et du christianisme. Paris, Dubuisson, 313 p., 14 cm.

Favre, Jules.
Morale des stoïciens. Paris, Alcan, 1888, 377 p., 18,5 cm.

Hahm, David.
The Origins of Stoic Cosmology, Ohio State Univ. Press, 1977. 232 p., 23 cm.

Holland, Frederick.
The Reign of the Stoics. New York, Somerly, 1879, 187 p., 18 cm.

Hyde, William.
The Five Great Philosophies of Life. New York, Mac Millan, 1911, 104 p., 17,5 cm.

Pire, G.
Stoïcisme et pédagogie — de Zénon à Montaigne et à J.-J. Rousseau. Liège, Dessain, 1958, 219 p., 24,5 cm.

Thamin, Raymond.
Un Problème moral dans l'antiquité étude sur la casuistique stoïcienne. Paris, Hachette, 1884, 350 p., 19 cm.

Wenley, Robert.
Stoicism and Its Influences. Boston, Marshall Jones, 1924, 194 p., 19 cm.

4. Etudes spéciales sur saint François de Sales.

Archambault, Paul.
Saint François de Sales. Paris, Lecoffre, 1930, 31 p., 17 cm.

Balciunas, Vyautas.
Vocation universelle à la perfection chrétienne selon saint François de Sales. Rome, Université Grégorienne, 1952, 247 p., 24 cm.

Calvet, Jean.
La Littérature religieuse de François de Sales à Fénelon. Paris, Duca, 1956, 475 p., 22,5 cm.

Camus, Jean-Pierre.
L'Esprit de saint François de Sales. Riom, Thibaud-Landriot, 1835, 6 vol.

Charmot, F.
Deux maîtres : une spiritualité — Ignace de Loyola et François de Sales. Paris, Centurion, 1963, 318 p., 19 cm.

Coüannier, Maurice-Henry.
Saint François de Sales et ses amitiés. Paris, Des Garets, 1922, 389 p., 25 cm.

Delaruelle, Etienne.
Saint François de Sales, maître spirituel. Paris, Spes, 1960, 101 p., 19 cm.

Hamon, M.
Vie de saint François de Sales, évêque et prince de Genève, docteur de l'église. (revisée par Gonthier et Letourneau), Paris, 1922, 2 vol.

Lavaud, Benoit.
Amour et perfection selon saint Thomas d'Aquin et saint François de Sales. Fribourg (Suisse), Librairie de l'Université, 1941, 341 p., 19 cm.

Leclerq, Jacques.
Saint François de Sales — docteur de la perfection. Tournai-Paris, Casterman, 1948, 268 p., 20 cm.

Le Couturier, Ernestine.
A l'école de saint François de Sales. Paris, Bloud et Gay, 1947, 326p., 16 cm.

Lemaire, Henry.
François de Sales — docteur de la confiance et de la paix. Paris, Beauchesne, 1963, 366 p., 18,5 cm.

Lemaire, Henry.
Les images chez saint François de Sales. Paris, Nizet, 1962, 492 p., 24 cm.

Liuima, Antanas.
Aux sources du Traité de l'Amour de Dieu de saint François de Sales. Rome, Librairie éditrice de l'Université Grégorienne, 1959, 2 vol.

Nestor, Albert.
Somme ascétique de saint François de Sales. Paris, Oudin, 1879, 632 p., 18 cm.

Roffat, Claude.
A l'école de saint François de Sales. Paris, Spes, 1948, 476 p., 20 cm.

Roffat, Claude.
En Retraite avec saint François de Sales. Paris, Spes, 1954, 278 p., 17,5 cm.

Serouet, Pierre.
De la vie dévote à la vie mystique. Paris, Desclée de Brouwer, 1958, 446 p., 21,5 cm.

Strowski, Fortunat.
Saint François de Sales. Paris, Bloud, 1908, 364 p., 19 cm.

Tessier, Henri.
Le Sentiment de l'amour d'après saint François de Sales. Paris, Lethielleux, 1912, 22,5 cm.

Trochu, Francis.
Saint François de Sales — évêque et prince de Genève. Paris, Vitte, 1941, 2 vol.

Van Houtryve, Idesbald.
L'équilibre surnaturel. Paris, Vitte, 263 p., 18 cm.

Van Houtryve, Idesbald.
La vie intérieure selon saint François de Sales. Paris, Desclée de Brouwer, 1946, 254 p., 19 cm.

Veuillot, Pierre.
La spiritualité salésienne de la «tressainte» indifférence, thèse de théologie soutenue à l'Institut Catholique de Paris en 1947, exemplaire dactylograhié, 457 p., 28 cm.

Vincent, Francis.
Saint François de Sales directeur d'âmes. L'Education de la Volonté. Paris, Beauchesne, 1923, 581 p., 20 cm.

5. Articles de revues

Bouchardy, François.
Saint François de Sales et le stoïcisme, dans **Nova et Vetera,** 4 (1934), p. 241-252.

Chastel, André.
Art et religion dans la renaissance italienne, dans **Bibliothèque d'Humanisme et Renaissance**, 7 (1945), p. 7-40.

Des Places, Edouard.
Religions de la Grèce antique, dans l'**Histoire des Religions**, publiée sous la direction de Maurice Brillant et René Aigrain. Paris, Bloud et Gay, s.d., p. 159-292.

Jagu, Amand.
Epictète dans le **Dictionnaire de Spiritualité** publié sous la direction du père André Rayez. Paris, Beauchesne, 1936, tome IV, col. 822-854.

Jagu, Amand.
Saint Paul et le stoïcisme, dans la **Revue des Sciences Religieuses**, 32 (1958) p. 225-250.

Julien-Eymard d'Angers.
Le Stoïcisme en France dans la première moitié du XVIIᵉ siècle. Les origines 1575-1616 (fin.), dans **Etudes Franciscaines**, (9 décembre 1952), p. 133-157 ; p. 389-410.

La Grange, Marie-Jean.
La Philosophie religieuse d'Epictète et le Christianisme, dans la **Revue Biblique**, 1912, p. 5-21 ; 192-212.

Pernin, R.
Saint François de Sales, dans le **Dictionnaire de Théologie Catholique** publié sous la direction de A. Vacant et E. Mangenot. Paris, Letouzey, 1903-1946. Tome VI. col. 736-762.

Secret, Bernard.
Saint François de Sales — Savoyard, premier docteur de l'église de langue française, dans la **Revue du Rosaire**, 8 (1960), p. 226-246.

Serouet, Pierre.
Saint François de Sales, dans le **Dictionnaire de Spiritualité**, publié sous la direction du père André Rayez. Paris, Beauchesne, 1963. Tome V. col. 1057-1097.

Squire, Aelred.
The Human Condition, dans **Life of the Spirit**, 184 (novembre 1961), p. 166-182.

TABLE DES MATIERES

Imprimé par

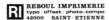
REBOUL IMPRIMERIE
typo / offset / photo-compo
42000   SAINT-ETIENNE

Dépôt légal 1ᵉʳ trimestre 1983

———

Nº Imprimeur : 125

2)